Pere Quart,
poeta del nostre temps

llibres a l'abast, 197

Antoni Turull

PERE QUART,
POETA DEL NOSTRE TEMPS

A Phil i Joanna,
cliftonians
catalanòfils
i sempre amics

[signatura]

Bristol gener 85

edicions 62, barcelona

Coberta de Jordi Fornas, amb un dibuix de Grau Sala.

Primera edició: octubre de 1984.
© Antoni Turull, 1984.
Drets exclusius d'aquesta edició (incloent-hi el disseny de
la coberta): Edicions 62 s|a., Provença 278, 08008-Barcelona.

Imprès a Nova-Gràfik, Puigcerdà, 127, 08019-Barcelona.
Dipòsit legal: B. 32.255 - 1984.
ISBN: 84-297-2203-3.

La meva coneixença de Joan Oliver («Pere Quart» en poesia) arran de la descoberta del nostre parentiu i les nostres comunes arrels sabadellenques, va coincidir ja fa un grapat d'anys amb la tasca que em fou assignada de professor de literatura hispana —en el sentit més ampli del mot— a la Universitat de Bristol, on, pas a pas, he aconseguit d'interessar un grup d'alumnes per la llengua i les lletres catalanes. Confesso que la meva formació familiar em mantingué allunyat de la cultura catalana i que ha estat el meu tracte periòdic i cada cop més intens amb Pere Quart el principal determinant de la meva conversió, en tant que escriptor, a la meva llengua nadiua. La poesia del meu amic em seduí des del primer moment. I he tingut la sort d'obtenir-ne un coneixement que he tractat d'aprofundir a través d'insistents lectures de la seva obra i gràcies a les llargues converses que he sostingut amb el poeta, i a les confidències que m'ha volgut fer de tant en tant sobre la seva vida i el seu treball. Goso dir que en aquest punt he estat un privilegiat, puix que Pere Quart és una personalitat força singular i de moltes facetes, i en les declaracions que en aquests darrers anys ha fet a nombrosos entrevistadors, potser per modèstia, per no caure en la pedanteria, que és una de les bèsties negres que més tem, ha procurat molt sovint fugir d'estudi i oferir al públic distret que llegeix o només fulleja els diaris, una imatge d'ell mateix sovint improvisada, a vegades escandalosa o mal interpretada i sempre com si el poeta reaccionés contra la voracitat periodística que tendeix a la creació de «personatges», en el sentit peioratiu de la paraula.

El fet és que he anat acumulant fets, notícies, dades, opinions, judicis captats directament de l'autor, exposats per ell amb una espontaneïtat amical i sense reserves; tot això al marge dels resultats de la lectura de la seva obra i dels comentaris que m'ha suscitat. Declaro, però, que el projecte que fa dos anys vaig forjar d'escriure el llibre que avui us presento, em va semblar ja de bell antuvi una temeritat. No em tinc per un assagista ni per un crític de literatura; no sóc un erudit de mètodes rigorosos; no puc presumir d'autoritat per a discernir els valors d'una obra poètica. Sóc només un aprenent de poeta i de novel·lista i un lector encuriosit fins a l'obsessió. També un divulgador de l'obra dels altres. I, en el cas present, un amic de debò de Pere Quart, un company que gaudeix de l'avantatge de merèixer la seva plena confiança.

Tot això dit, us prego que jutgeu aquest treball com una exposició objectiva d'un quefer poètic que fa seixanta anys que dura i que a parer meu no ha estat encara objecte d'una anàlisi atenta i total; cosa gens estranya en una cultura com la nostra encara en vies de formació. Simplement he volgut ocupar no sense coratge el lloc que correspondria a un autèntic escoliasta. Mentrestant m'he llançat a una aventura superior a les meves forces, però que em sembla necessària. Perquè tot fent camí per aquestes pàgines he tingut —no ho nego pas— el goig de corregir errors evidents, inexactituds flagrants, que han estat impresos sobre el tema tractat. Lleugereses, llacunes, partidismes, oblits. Malifetes que jo probablement també he comès aquí i allà. La meva única aspiració és que la meva feina sigui un carreu no del tot inútil per al possible i desitjable estudi que un dia algú haurà de bastir. Perquè, a parer meu, la poesia de Pere Quart és encara plena de «virtuts inconegudes».

> «*Every revolution in poetry is apt to be,
> and sometimes to announce itself as,
> a return to common speech.*»

T. S. Eliot

Si qualifico Pere Quart de *poeta empíric* és perquè la seva motivació, la seva selecció del material i la forma definitiva que dóna als poemes neixen de l'experiència, de manera que cal que el lector la copsi —encara que estigui encoberta— si vol fer una lectura pregona de les seves composicions, que, plegades, formen un llarg poema en evolució, inacabat i inacabable.

Mestre en el llenguatge, la seva obra també ens atrau perquè expressa la parla comuna de la terra del poeta i la del seu temps. I dins aquesta conjunció de professionalitat amb les coordenades d'espai i temps, que ja apareix des dels primers versos, Pere Quart sosté una línia revolucionària, més subtil que desclosa, bé a la cerca de les formes poètiques que millor serveixen de pont comunicatiu, bé en la seva ideologia que parteix del «coneix-te a tu mateix» i d'encarar-se a tot.

Ell no ha temut mai l'home ni la societat ni el sentiment religiós «heretat i corregit», i s'ha arriscat a quedar-se sol en dir allò que tants poetes han evitat fins i tot de plantejar-se a si mateixos. Per tant, i malgrat ser un jugador nat, no podria signar una carta com la de Picasso a Giovanni Papini, on el pintor deia: «Jo sóc només un histrió públic que ha comprès el seu temps i s'ha aprofitat de la millor manera de la imbecil·litat, la vanitat i l'avidesa dels seus contemporanis.»[1] El joc de Pere Quart és net, entenem-nos, és joc de poeta, és a dir, no treu profit de ningú i sap perdre.

L'ampli camp temàtic i lingüístic del nostre poeta no es cenyeix a la moda o a l'exigència ambiental, sinó a la complexitat de l'ésser humà, des d'allò més sublim a allò més ridícul, i no és estrany, doncs, que el seu art verbal sigui reconegut pel caràcter fidedigne que traspua. Aquesta és una de les raons per les quals la seva poesia incideix —i incidirà— en les successives generacions de joves; ells tenen el do d'endevinar on es troba el poeta i el seu missatge, i on el farsant que captiva dins del seu radi d'acció sectors socials filisteus o esnobs.

El que voldria demostrar en aquestes pàgines és la genuïnitat incommovible de Pere Quart fins avui, amb més de vuitanta anys, i el fet que encara continuï vivint allò que deia Bergson: «Som lliures quan els nostres actes emanen de la nostra personalitat sencera, quan l'expressen, quan tenen amb aquesta, la semblança indefinible que es troba a vegades entre l'obra i l'artista.»[2] Aquesta «semblança», revolucionària i empírica, com la unitat de tota la seva poesia, són potser les característiques que el fan imprescindible a qui vulgui recórrer la trajectòria de la poesia del segle XX. Cal conèixer-lo.

Quant a la meva apreciació de la seva obra he tingut en compte en tot moment el que va dir Frank Kermode per ràdio BBC: «La crítica literària és com anar amb bicicleta, si et poses a pensar com ho has de fer et claves una trompada.» Per tant, el lector comprendrà no solament que aquest pròleg l'he escrit a posteriori, sinó també que he procurat no adoptar cap esquema

1. Josep Llobet, «El "Guernica" y Pablo Picasso», «La Vanguardia», 30-VIII-1981. Ja sé que es tracta d'una de les moltes invencions de Papini, però em sembla acordada amb la realitat i, per tant, vàlida.
2. BERGSON, Henri, *Essai sur les donnés inmédiates de la conscience*, Presses Universitaires de France, París, 1949.

propi de cap escola i que simplement he anat elaborant el fruit que la lectura de Pere Quart produïa en el meu pensament.

Així, m'ha semblat que tant podia recórrer a la crítica tradicional com a l'estructuralista, o a posicions intermèdies, segons el cas. A totes passades he estudiat aquesta poesia cronològicament i a través, exclusivament, de la publicada en reculls, aportant alguns dels poemes solts, però deixant de banda els que se li atribueixen, per tal de no estendre'm en digressions que ens portarien més enllà de la unitat de la seva obra.[3]

Altrament he pretès de no abusar de la interpretació, en sentit estricte, car al cap i a la fi aquesta pertany a l'activitat més personal de cada lector, però sí que m'he permès de comentar molts dels poemes, i uso aquest terme, «comentar», perquè crec que és el més ampli i més flexible, car, a més del comentari pròpiament dit, abraça l'anàlisi i la síntesi, i també l'explicació del text, a la qual hem d'acudir sovint per a una millor comprensió dels versos.

Passo ara a donar la data dels reculls que Pere Quart ha publicat fins avui, amb els títols, que són el material fonamental de la meva exposició:

1934: *Les decapitacions*
1937: *Bestiari*
1936: *Oda a Barcelona*[4]
1947: *Saló de tardor*
1956: *Terra de naufragis*
1960: *Vacances pagades*
1962: *Dotze aiguaforts de Josep Granyer*
1968: *Circumstàncies*
1977: *Quatre mil mots*
1982: *Poesia empírica.*

3. Per a l'obra teatral, que signa amb el nom propi, vegeu la cronologia i la bibliografia al final d'aquest llibre.
4. L'*Oda a Barcelona* es va publicar abans que *Bestiari*, però va ser escrita després que els poemes d'aquest recull.

I les peces que no són incloses en aquests reculls, però sí en l'*Obra poètica*.[5]

Vull ara expressar el meu agraïment als qui m'han ajudat en l'elaboració d'aquest llibre. A Esteban Pujals i Gesalí, lector pacient i suggerent. A Judith Willis, que va perdre quasi tot un manuscrit-tesi sobre Pere Quart en una inundació, i les poques pàgines que va poder salvar-ne m'han servit d'autèntica inspiració. A María Segura, especialista en la bibliografia del nostre poeta i bibliotecària perfecta. A Joaquim Molas que m'ha proporcionat la base i abundants precisions de la cronologia que transcric. Finalment, vull fer constar que la versió castellana d'aquest estudi, quan era només un projecte, va aconseguir una «Ayuda a la creación literaria» del Ministeri de Cultura de Madrid.

Universitat de Bristol
Anglaterra, abril de 1982.

5. Primer volum de les «Obres completes», Proa, Barcelona, 1975.

I. «Les decapitacions»

1. *LA PRIMERA* DECAPITACIÓ

En la poesia de Pere Quart no s'hi poden marcar èpoques diferents; és, artísticament parlant, una poesia evolutiva i, si aparentment hi ha salts, aquests no són temàtico-formals, sinó el resultat de la seva lluita per una expressió justa, paral·lela als canvis radicals de la seva vida i de la història de Catalunya. Autocensor exigent —el millor poeta és aquell que és a la vegada inventor i crític— i preocupat des de molt jove per dominar el llenguatge, tals exercicis li han permès mantenir una continuïtat, potser inconscient, a través de les fractures socials i personals.

«Pere Quart, com a poeta, naixia adult», ha escrit Joan Fuster,[1] i no es referia exclusivament als trentaquatre anys que ja tenia el poeta en publicar el primer llibre. I es mantindria madur si qualifiquem així a aquell que produeix obres d'art per vocació i acabades.

Amb aquesta preconcepció passo a comentar el primer poema de *Les decapitacions*, que ho és de tota la seva obra pública en reculls: no porta altre títol que el número de la decapitació, com els altres, i en aquest cas, és clar, el número I, i el lema que el precedeix és un vers de García Lorca expressament malentès: «*Sobre el pecho almidonado la cabeza*». Pere Quart simula que l'entén com vol entendre la foto de la coberta de la primera edició del llibre: un il·lusionista decapitat i emmidonat amb el cap a la mà dreta a l'altura de les

1. Pròleg de Joan Fuster a l'edició de *Les decapitacions* de 1978, Proa, Barcelona.

costelles.[2] El recurs surrealista es trobarà sempre present, com una possibilitat, en l'art verbal del nostre poeta.

La decapitació comença amb una estrofa d'un sol vers i amb la repetició d'un adjectiu negatiu que contrasta amb els dos substantius que no acostumen a ser qualificats d'aquesta manera:

Estels inútils, inútil campana!

I en l'estrofa següent continua l'ambientació de la vida d'un funàmbul, una vida de temps mutilat; mentrestant és negra nit i la vela que mou la seva barca és invisible, incomprensible; i amb un *oximoron*, l'infern de fred, descriu la seva ceguesa.

La poesia és lliure, hi ha ritme però no rima, tot i que en el vers tercer col·loca quatre adjectius que acaben amb «osa». El verb no apareix fins a la línia sisena —cultisme sintàctic al costat d'un llenguatge planer—, i aleshores ho fa amb un trimembre i amb al·literació. En els versos 7, 8 i 9 empra tres *oximorons* més. Aquí ja podem descobrir altres constants de tota la seva poesia: la llibertat formal, la llibertat d'escollir ritme i rima, i l'equilibri sostingut entre el llenguatge popular i el culte.

A partir de l'estrofa tercera inicia una progressió en quatre situacions que corresponen a quatre estrofes diferents amb la mateixa expressió d'entrada: «Tu, amb el cap a la mà, ...» «Tu» que es refereix a la foto de la coberta, però que no repugna que s'adreci a ell mateix, al poeta, i per extensió a l'home en general. La imatge surrealista assenyala les diferències entre la ment i l'home, és a dir, entre allò intel·lectual i allò vital, dicotomia que tot essent una base coneguda de llargues disquisicions racionals, aquí es repeteix com en un joc de miralls fins a l'infinit.

2. Pere Quart va retallar la fotografia d'una revista i la va guardar durant anys fins que, en inspirar-li aquest poema número u, va publicar-la. (Testimoni personal de l'autor.)

En la tercera estrofa el funàmbul és un infant, descrit amb l'*oximoron* «àngel monstruós», en plena vida irresponsable. En la quarta és un adolescent que desperta a la consciència amagat «rera els crims d'altres». En la cinquena, un jove que ignora la veritat de l'imperi «de bambes camises», és a dir, el feixisme mussolinià. La sisena assenyala la maduresa de l'home que representa un mal històric i el record de l'autoritat que sap «abolir la pròpia vergonya».

La penúltima estrofa repeteix la inutilitat dels estels i de la campana, mentre la barca ja s'ha allunyat portada per una força invisible. I l'última només la formen dues paraules que són l'onomatopeia del brandar de la campana, com si el poema tornés a començar, arrodonint així el cercle poètic.

Moltes de les constants de Pere Quart, alguna ja assenyalada, s'inicien en aquest poema. Un escepticisme bàsic: els estels i la campana, que obren i tanquen el poema, sobren; el temps és com un ésser humà a qui manca algun membre; la nit no és bella; la força que mou la vida és invisible; la vida mateixa, per a l'home, no té sentit, i aquest ésser, que és la deixalla d'un dany secular, intenta acomodar-se en un món on l'atrauen i l'arrosseguen forces oposades.

Una altra constant és la referència a la Bíblia, fer-la tridimensional i, per tant, mostrar-nos l'altra cara. Aquí, dues citacions ens donen ja una pista d'allò que trobarem més endavant: «un àngel monstruós» i «el llot a grumolls de l'Edèn».

La ironia com a figura retòrica i el present històric com a tema no ens abandonaran mai a través de la seva obra, i en aquest poema s'uneixen en l'únic personatge que anomena i que aparentment no està decapitat, en Benito, es sobreentén Benito Mussolini, coronat amb bronze vital per assassí, amb «robins i maragdes», metàfores de llavis i ulls dels enemics que ha executat per causa del seu imperi vacu, inflat.

Aquestes característiques de la primera decapitació, amb el recurs del surrealisme, esdevenen una porta oberta a l'àmplia trajectòria de la poesia de Pere Quart que, sense afiliar-se a cap escola, se'ns presenta amb el to de l'ambient històrico-literari noucentista de la Catalunya d'aleshores per afinitat de caràcter, per predilecció personal i amb una actitud crítica.[3] En un poema del seu darrer llibre, on no hi manca la sornegueria, «Col·lotge a l'ombra d'un tamariu»,[4] ho confirma en els dos primers versos:

> *Sóc un noucentista a la vista,*
> *vull dir garantit, dels solvents.*

2. UNA PERSONALITAT PRÒPIA

Les decapitacions és un recull de vint-i-cinc poesies numerades, i que van sorgir d'una tria estricta del poeta entre més de quaranta amb l'autoimposició de l'estructura temàtica que, com molt bé assenyala Judith Willis, és primària, car el motiu de la decapitació és essencialment anterior a la composició de cadascuna de les poesies.[5]

Quan el llibre va aparèixer, el crític Bofill i Ferro, tal vegada per raons de família, va trobar que no era tan mordaç com les *Sàtires* de Guerau de Liost, pseudònim de Bofill i Mates, mentre que Josep Maria Junoy deia a «La Vanguardia» que es tractava, a Catalunya, del primer cas literari d'humor negre. D'acord amb el segon, avui, havent passat els anys, no sóc l'únic a pensar que ho aconsegueix amb els mateixos recursos del noucentisme, i també del surrealisme, que els domina i parodia.

Emparentat poèticament amb Carner, Guerau de

---

3. Joan Fuster, *op. cit.*, precisament per aquesta actitud crítica de Pere Quart, el qualifica de neonoucentista.

4. Vegeu *Poesia empírica*, Edicions Proa, Barcelona, 1981.

5. WILLIS, Judith, *Sobre les estructures de «Les decapitacions»*, a «Serra d'Or», juny de 1972.

Llost, Riba i Foix —grans contemporanis de la poesia catalana— per la riquesa de vocabulari i sintàctica, per l'ús de les formes mètriques clàssiques i d'altres de lliures de ritme impecable, la seva personalitat poètica es defineix des del principi per una capacitat d'humor, ironia i sàtira, centrada en l'autocrítica i per la poetització dels temes i del llenguatge vulgars. Així, es convertirà en un inventor de «mites desmitificadors», i com a tal passarà al nostre parnàs.

A tall d'exemple transcric la decapitació II que porta per lema «*L'Assumpció*» - Catedral de Sevilla.

> *Àngels de Murillo, víctimes primales*
> *de les profecies i la llei d'Herodes,*
> *enmig de nosaltres no iríeu ni amb rodes,*
> *però sou empiris i us han donat ales.*
> *En memòria vostra els nuvis-poetes*
> *suporten l'oprobi de llur coll d'aletes.*

Un sextet a la manera de Juan de Mena, de rima consonant, amb una estrofa creuada de quatre versos i un apariat final, que formen com dos capítols del poema, on trobem paraules cultes com «empiris» —éssers que pertanyen al cel dels benaventurats— i expressions col·loquials com «no anar ni amb rodes». L'estructura és clàssica —la utilitzaren els poetes valencians dels segles XV i XVI—, mentre que la sintaxi s'acomoda a la comprensió directa del poema, i una i altra cosa permeten al poeta produir un efecte humorístic. Desmitifica *L'Assumpció* de Murillo en veure en aquells àngels allò que el pintor no devia plantejar-se mai, que eren innocents decapitats per Herodes —primera part del sextet— de la mateixa manera que els nuvis-poetes —l'apariat final— es decapiten amb llur tendència als eufemismes i sublimacions tan allunyats de la realitat quotidiana. És amb aquest tipus de sàtira, tergiversant el mite, com Pere Quart sorgeix amb personalitat pròpia, al marge de la seva adopció de les regles i circumstàncies del temps.

Quant a la tècnica, una característica de la seva poè-

2.

tica la trobem a la decapitació III on, amb rima consonant, construeix un poema de metre lliure. Diferències semblants en la llargada dels versos apareixen a nou decapitacions més i sovint a través de tota la seva obra. En aquesta classe de poemes l'accentuació assumeix un paper molt rellevant per tal de compensar les llacunes mètriques.

Observem ara el tema de la decapitació III. L'argument és una fantasia, com un malson basat en l'amor: Wanda, bruixa cega i malalta, guiada pel «seny de la febre» —una troballa d'expressió entre moltes que anirem veient—, encapritxada pel poeta, li besa el clatell per assenyalar on el botxí ha de donar el cop de gràcia. El poeta usa el monòleg i la descripció, per acabar amb un recurs literari que també apareixerà de manera freqüent: el diàleg, que ens recorda l'*alter ego* del poeta, el dramaturg. El significat del diàleg final, com el de tot el poema, em permet insistir en una peculiaritat temàtica de Pere Quart: Wanda és l'antimusa, més exactament la contramusa, que besa letalment, i en això hi ha un paral·lelisme antitètic amb els àngels de Murillo i els nuvis-poetes. Quant a la imatge, podem parlar d'una contraicona, no pas d'iconoclàstia, perquè no destrueix les imatges conegudes o tradicionals sinó que les transforma substancialment. En el cas de la musa, inspiradora de l'art més elevat, la converteix aquí en bruixa malèfica, i de fet inspiradora de la separació de l'intel·lecte i el sentiment. Pere Quart perfà així les icones poètiques. Més endavant veurem si, a més de les contraicones, ens proposa una contrapoesia i una contraliteratura.

Respecte al tema de la musa m'he de parar en la decapitació IX, la protagonista de la qual és la Venus del jardí del poeta. Es tracta d'un romanço de versos heptasíl·labs amb rima consonant alterna que, malgrat dues excepcions en la regularitat, té estructura tradicional. Està dividit en dos episodis i porta per lema la dita d'un tango, «*la maté porque era mía*», que ens dóna la clau del desenllaç de l'assumpte. Al primer episodi el poeta frueix d'aquesta Venus «de pedra picada», ni imaginada ni de marbre, en solitari. Fa que presideixi un bassiol i se la fa seva, l'adorna, la contempla, i l'única anomalia és que una mà estranya agita l'aigua que fa de mirall i veu com ella li ofereix frenèticament les delícies sexuals. La distorsió de la imatge clàssica de Venus és evident, però la narració no acaba aquí. Al segon episodi el visita un frare escultor —la càrrega de significat d'aquest adjectiu és fonamental, a diferència de l'adjectiu «caputxí» a què l'obliga la rima— que la transvesteix en un sant, segurament un sant Sebastià, i li cobreix el sexe amb una falda. Aleshores el poeta «la mata perquè era seva» mentre confessa que li «fou dea, musa i fada».

Tenint en compte que aquesta és l'única referència directa de *Les decapitacions* a la mitologia hel·lènica, i que a partir del primer vers Venus ja apareix com una dea d'estar per casa, per més que el poeta reconegui que li «fou dea, musa i fada», el personatge mític queda desmitificat, i és més, hi renuncia i el destrueix per l'escarni que representa la imposició d'una moral ancestral que fa de Venus —tan casolana, pura i innocent— un sant Sebastià, com també seria possible que fes d'un sant Sebastià una Mare de Déu. El poeta reconeix la influència de la dea d'una manera autocrítica i satírica, i, per mitjà del diàleg, als versos 29-32, ens diu que rebutja definitivament qualsevol mite, artístic o religiós, mites aquests que s'agermanen al poema. La contraimatge, la contraicona, és obra del frare escultor, i tanmateix Venus, per al poeta, no era més que una joguina: «Li pinto el llavi amb carmí / i amb blau i blanc la mirada».

Descobrim ja l'empirisme de Pere Quart. En aquest romanço satiritza i es satiritza. Gran part del que diu al poema és senzillament factible: que es comprés una Venus —per aquell temps se'n feien en sèrie a Cerdanyola—, que l'adornés, que la contemplés, que l'adoptés com a musa, que un dia la veiés moure's insinuant i temptadora dins l'aigua «avalotada» del bassiol, que

19

hi hagués un capellà,[6] amic o parent, que li aconsellés de substituir aquella dea pagana per un sant, que discutís amb ell, i que, al capdavall, en un rampell juvenil, destruís l'escultura. Tot això és possible i, suposo, que d'alguna forma va ocórrer. És doncs a partir de l'experiència que el poeta satiritza i s'autosatiritza, i tant el motiu com el resultat del poema, escrit d'una forma planera i imaginativa, té una arrel empírica. I la sàtira contra la moral catòlica esdevé paral·lela a l'autosàtira del poeta que havia fet, d'un tros de pedra transformat en Venus, la seva fada i el seu amor.

Aquest comentari treu a llum una de les característiques més genuïnes de la poètica de Pere Quart: en comptes de dir coses vulgars elevadament, eufemísticament, que és la vena poètica més tradicional i prestigiosa, diu coses profundes prosaicament, vulgarment. En aquesta decapitació, «La Venus del meu jardí», insinua la soledat, la repressió familiar, el conflicte amorós-sexual, la ingenuïtat, l'herència moral i religiosa, i la rebel·lió del jove capaç de trencar amb tot per tornar a començar en cerca de la llibertat. I alhora, en el poema, hi ha tota la problemàtica d'una novel·la o d'una obra de teatre.

I parlant de dir prosaicament, vulgarment, és ara el moment de recordar que és a *Les decapitacions* on per primera vegada en la història de la poesia catalana apareix el riquíssim verb «fotre» (VI, vers 54), en aquest cas amb el significat emfàtic de «fer», «perpetrar».

3. LES DECAPITACIONS *I EL TEMA BÍBLIC*

Els únics personatges històrics que Pere Quart fa protagonistes d'una decapitació sencera són David, la XIV, Judit, la XV i Herodies i Salomé, la XVI, i tots són

6. Vegeu «Edat antiga II» a *Poesia empírica, op. cit.*, és un poema llarg autobiogràfic que tracta d'un oncle sacerdot que podria haver-li inspirat el frare d'aquesta decapitació.

personatges de la Bíblia. Es tracta de tres decapitacions inspirades en narracions del Vell i del Nou Testament, i allò que el poeta aporta és l'explicació dels fets sense tergiversar-los, però d'una manera que els crítics han qualificat d'irreverent,[7] cosa que em sembla de poc interès perquè la irreverència és l'antònim de la reverència, és a dir, la submissió que queda, o hauria de quedar, fora de l'òrbita poètica.

Els tres poemes van seguits i formen una unitat dins el llibre, unitat recalcada perquè hi ha una actitud dialèctica del poeta —diferent en cadascun— davant els tres fets històrico-bíblics, actitud que en cada cas mina els valors tradicionals que s'han donat a aquests relats veritablement violents. «Dessacralitza», per tant, l'anomenat llibre sant i revelat.

La primera decapitació és la de Goliat a mans de David. La componen quatre estrofes que conten la història bíblica resumida, sense treure-hi ni posar-hi res, passat del vers 12, que està entre guions, i on Pere Quart qualifica el futur rei de «botxí amateur i mal soldat», judici lògic que es desprèn del text original, car David no podia ser un botxí professional si era un pastor jove, i matar l'enemic vençut és impropi de l'honor militar més elemental. Rera cada estrofa hi ha una retronxa amb la qual el poeta s'adreça al lector i també tanca el poema: «Creguem-ho? Va! Potser és veritat.» Aquesta concessió de to col·loquial és un exemple clar d'ironia sarcàstica. La seva manera de dir —forma i contingut— i la repetició del vers insinuen que els teòlegs practiquen la fe cega, en el sentit de la fe de l'idiota, encara que sigui astutament.

Mentre la decapitació que acabem de veure és més aviat narrativa i abunda en versos decasíl·labs, la xv, que tracta de Judit, té els versos anisosil·làbics, des de

7. L'equívoc adjectiu d'irreverent aplicat a Pere Quart és cosa habitual entre certs crítics, però en aquest cas, fins i tot un escriptor de volada va negar-se a escriure el pròleg de la primera antologia del poeta (Aymà, 1949) a causa d'aquests poemes.

monosíl·labs a decasíl·labs, i està escrita en forma de dià-leg entre l'autor i la protagonista. Primer parla el poeta llargament i la seva peroració la interromp Judit a la segona estrofa. En la primera hom fa un elogi de la seva bellesa femenina, i tanmateix hi trobem un adjec-tiu i una semblança que trenquen subtilment la imatge de la dona ideal. L'adjectiu del vers 3, «mortes», aplicat a perles, en principi diu allò que és obvi, que les per-les d'un collar són mortes, però això insinua la manca de vida com a condició de la bellesa de Judit. Quant a la semblança, està situada al final d'aquesta primera estrofa, i trenca el lirisme sostingut fins aleshores, amb el so i la imatge irònics que comporta, a part de la novetat de la metàfora: «La pell, / ... / ... morro de por-cell.» En la segona estrofa el poeta muda d'actitud i retreu a la dama que s'hagi venut el sexe per tal de fer de botxina. Quan Judit s'excusa, el llenguatge que uti-litza la torna contemporània, les teves mires —li diu ella— «són mires modernes». Al capdavall ella no era res més que l'instrument que decapitava Holofernes: «Jo era el braç.» El poema acaba amb dues estrofes d'un sol vers cadascuna i que rimen. En la primera el poeta li pregunta: «Braç de mar, o de què?» Hi ha aquí un impacte sarcàstic, car en català «anar fet un braç de mar» vol dir anar mudadíssim. Judit respon i clou el poema amb allò que tots sabem per les Escriptures: «—Jo era el braç de Jahvè.»

Podem observar aquí la força ideològica que la for-ma genera en el fet que «Jahvè» rimi amb «què». A més a més «Jahvè» substitueix el mot «mar» del vers ante-rior, i si «braç de mar» és una expressió que significa anar de pontifical, ser el braç de Jahvè haurà de signi-ficar ser un assassí. Això, unit a la rima «què» amb «Jahvè», dóna per resultat una emfasització tragicò-mica. La teologia trontolla davant la poesia.

La darrera decapitació de tema bíblic, la XVI, està escrita en versos heptasíl·labs i dividida en dos sextets de rima alterna i consonant, seguits de dos rodolins entre parèntesis, l'últim vers dels quals i del poema és decasíŀlab per raó d'incloure una aŀliteració. Al poema no es menciona cap nom propi, i la pista de la referència bíblica es troba al lema, un fragment d'un passatge conegut de l'evangeli de Marc que clarifica els versos 9 i 10 de la narració del poeta i la transposició en el temps de l'esdeveniment bíblic. Pere Quart situa el ball de Salomé davant Herodes i Herodies en present, i compara la filla —sobreentenent el subjecte— a una «telonera» o «novícia d'un concert del Paraŀlel». Som a la meitat del poema i encara no seria evident que es tracta de Salomé i Herodies si no fos pel lema. La vida de luxe que la mare cobeja és la de la dona amb filla més que presentable i que pot explotar-la per aconseguir «tec» i «cotxe», i en aquest cas al Paraŀlel, lloc tòpic de la vida nocturna de la Barcelona de les primeres dècades d'aquest segle. És en els dos primers versos del segon sextet quan la connotació evangèlica és clara: «Quan mira l'horrenda testa/damunt plàtera d'argent.» El cap decapitat de Joan Baptista universalitza espacialment i temporal el poema. El poeta, però, continua mantenint el to prosaic: A Salomé «l'han de treure de la festa/perquè es troba malament». El rodolí final parla de l'angoixa de la mare perquè tem que la filla se li morí, i el prosaisme és definitiu amb l'aŀliteració «no fos cas que hi petés, la petita!». En la meva opinió hi ha encara un detall més, que ajuda a lligar els caps del realisme i l'humor negre, és el lema, la citació de Marc: *«Quid petam?»* La similitud del valor fònic de *«petam»* amb «petar», que no vol dir «demanar» però és ric en significats, «trencar», «tirar pets» i, aquí pel context, «morir». Finalment, Pere Quart, en aquest poema amb la transposició caricaturesca del tema bíblic i amb el prosaisme volgut, ens fa veure que el relat de Marc no té res d'extraordinari, passa a tot arreu i cada dia: profund pensar sobre els mitjans i els crims de l'ambició personal.

Aquestes tres decapitacions de Pere Quart constitueixen una introducció a la seva idea del Crist i del cristianisme que estudiarem en el moment oportú.

4. LES DECAPITACIONS *I LA HISTÒRIA*

Hom parla sovint de la relació vida-poesia i de poetes vitals i de poetes purs, no sense partidismes; hom critica la poesia dels primers perquè sembla directa, mancada de complexitat i de misteri, o se l'elogia pel seu sensualisme, per la seva immediatesa temàtica, mentre dels «purs» hom critica el seu elitisme, el seu abstencionisme, la seva terbolesa, o n'alaba el to elevat, l'exquisidesa, la suposada obscuritat profunda. Vénen a ser com dues manifestacions extremes de l'art verbal.

En la meva opinió, sigui quin sigui el resultat del producte, allò que compta és l'actitud fonamental del poeta com a síntesi a priori d'aqueixes dues manifestacions: l'encarar-se a tot. Per això en dic actitud fonamental. No hi pot haver construcció poètica si abans el constructor no s'excedeix en el coneixement d'ell mateix, és a dir, de l'home i de la seva història, i del present, i fins i tot del seu possible futur, de la mateixa manera que no hi pot haver un inventor de poesia —i no dic creador, perquè Pere Quart em renyaria— que no abundi en el coneixement de la llengua en què s'expressa. Complides aquestes condicions és quan el poema atrau el lector.

Aquest encarar-se a tot, tanmateix, no vol dir que s'hagi de mostrar d'una manera evident en els productes que el poeta publica, com tampoc no usarà mai tots els termes que coneix, però els seus poemes revelaran sempre, en una lectura atenta, a més de la riquesa terminològica, un radi obert de confrontació del seu jo amb la vida.

Pere Quart, ¿viu aquesta síntesi fonamental i anterior? S'encara a tot? Bandeja temes incòmodes? ¿Ignora per por de confrontar? La resposta que dóna la seva obra crec que és clara: no hi ha racó vital que defugi o que se li escapi. *Les decapitacions* ens en proporcionen una primera mostra significativa.

L'art té, és clar, les seves limitacions, i no oblidem que les vint-i-cinc decapitacions són una selecció d'entre més de quaranta poemes, més o menys acabats, com tampoc que el poeta és molt exigent envers el resultat que presenta al públic. Per això aquest recull podria ser un segon o tercer llibre. És a dir, hi ha molts temes i arguments que restaran arraconats perquè els poemes on els tracta no satisfan l'autor, a part dels que exclou perquè no es cenyeixen al motiu unitari de la decapitació.[8] Però tot i així no serà difícil de descobrir alguns dels punts claus de la seva postura oberta i receptiva.

Assenyalo primer els aspectes aparentment negatius. Els poemes es pot dir que són asentimentals, apassionals. Hi ha un distanciació evident entre l'autor i el text, l'amor i la intimitat n'estan marginats, o han estat molt ben disfressats, i, en molt passatges del recull, hi ha una frivolitat bàsica, d'*homo ludens*, explicable en principi si tenim en compte l'origen social de l'autor, la classe terratinent i industrial, que el mantenia en una situació privilegiada.

Ara bé, una cosa és mostrar-se frívol i una altra molt diferent ser-ho. És veritat que Pere Quart ens ofereix poemes que són quasi merament un joc, o un acudit, com la D. VIII o la XXI, i d'altres amb un fons escèptic, com la VI, que tant en la forma com en el contingut recorda el *Llibre de les dones* de Jaume Roig, i la X, on la dona rebutja interiorment l'home, i la XI, on l'infant, en comptes d'aportar una mica d'aquest cel d'on surt segons Víctor Hugo, «clou els llavis, té rostre de vell» fins que escapça el cavall mutilat.[9] Sí, frivolitat aparent i escepticisme que ja hem constatat en les decapitacions bíbliques, però alhora, amb el ritme i la rima que fan de tam-tam artístico-passional; llegim entre ratlles allò que precisament no diu, que és una de les peculiaritats de la millor poesia, trobem projectada l'em-

8. Poesia anterior de Pere Quart al «Diari de Sabadell» i a la revista «Mirador» d'abans de 1934.

9. Al museu de Sóller hi ha un quadre de Cristòfol Pizà, mort pels volts de 1920, on es veu un nen amb un martell i un cavall de cartó. No crec que Pere Quart el conegués, però vull anotar la coincidència.

patia per l'home, perquè, com anirem veient, a Pere Quart «res d'humà no li és aliè», que deia Terenci, i per no deixar-se abassegar per aquest sentiment i aquesta ideologia, els fa callar.

El seu sentit de l'empatia, tanmateix, serà cada vegada més evident a mida que avancem en la lectura de la seva obra. Ara bé, en *Les decapitacions*, el seu primer contacte pròpiament poètic amb el lector, ni ell sap fins a quin punt es pot apropar al lector ni aquest coneix suficientment els silencis de l'autor, però malgrat això ja descobrim indicis empàtics, i, per tant, empírics, car no hi ha dubte que empirisme i empatia van plegats.

Els dos personatges d'actualitat que menciona són Mussolini (i) i Hítler (xvii), i ho fa només amb el nom de pila. En el cas d'Adolf cal assenyalar que o bé tenia una informació absolutament al dia sobre els fets internacionals, o la seva intuïció el va portar a escriure un presagi d'allò que succeiria a l'Europa ocupada pels alemanys: «Volava el cap de ma companya / pel cel dels crematoris d'Alemanya.»

Naturalment que en un recull com aquest no podia faltar un poema dedicat al decapitador «científic» per excel·lència, personatge històric, l'invent del qual contínua essent vigent: Guillotin (xx). El poema porta un lema tret de l'«Enciclopèdia Espasa» i que és una magallada de tantes com s'escriuen: *Un médico y bienhechor francés llamado Guillotin (véase) fue el inventor de tal artefacto.*» I aquest «*(véase)*» que ens remet de l'entrada «guillotina» a la de «Guillotin», recalca l'humor negre i el seu menyspreu per una obra monumental dirigida, de fet, pels jesuïtes.

El text per si mateix d'aquesta decapitació recorda l'estructura d'alguna oda de Keats [10] que consta d'una encadenació més o menys lliure, quasi sempre amb rima consonant i metre irregular, que en el nostre cas oscil·la entre versos de cinc i dotze síl·labes. El poeta no planteja si la condemna és justa o injusta. Les forces

10. Vegeu especialment *Ode to Psyche*.

de l'atzar són les que marquen el moment exacte de la mort. Cerca la personalitat del reu, allò més pur i intocable d'ell, en la imatge de l'«ombra», fonamental per entendre poesies posteriors, la genuïnitat dels homes i dels morts, l'«ombra única del tors i de la testa», després de dir «com una negra neu», paradoxa que repetirà al *Bestiari* a propòsit de l'ós blanc, l'ombra del qual, sobre la neu, el converteix en ós negre. En la tercera estrofa Guillotin i els jutges dialoguen inútilment amb el condemnat, no s'entenen. Li ofereixen, d'acord amb el «*bienhechor*» del lema, «dolç i sobtat traspàs!», i allò tòpic, complir el seu darrer desig, confessió i la vida sobrenatural. El reu no escolta, allò que desitja no ho ha aconseguit ni ho aconseguirà mai, pertany al món de l'autoritat, del qual està exclòs. Hi ha un joc de paraules i de significats en l'al·literació en boca de l'autoritat «(timbes, tombes)» i en boca del condemnat, «tombes i timbes». En les dues estrofes finals el poeta imagina els elements que es refereixen a la guillotina i els maleeix. En la penúltima amb les imatges de la preparació, «paper de vidre» i «lubricant», d'un prosaisme volgut. I en la darrera amb un lirisme contrastant, «ombra de neu», repetició de l'ombra inviolada, la personalitat intocable del reu; la «cistella», on cau el cap; les «roses», la sang. Al capdavall assenyala l'única manera d'entrebancar l'acció de la guillotina: que el reu es convertís en una hidra de cent caps.

Aquesta decapitació xx és potser el poema menys anecdòtic, més humanitzat i piadós i més antiburgès de tot el recull, sense que per això contrasti amb els altres. El nivell de referència o transposició de la realitat és el mateix, excepció feta de les decapitacions que parodien el surrealisme (la XXII) i l'automatisme (la XXIII), i les implicacions que conté arriben més enllà de la decapitació I per l'acumulació d'imatges de la tragèdia humana, i el poeta, per primera i darrera vegada, en aquest recull, trenca el silenci ideològic i emotiu.

Ara bé, el poema històric més incisiu, i profètic, és la Decapitació XII (escrita el 1932):

Flecta'ls genolls y prega com fill devant lo cap
del pros Josep Moragas, lo nostre general.

Guimerà

Mort esclava!
Ocell engabiat
en gàbia secular. Ocell nostrat,
orb, eixalat,
vermell de sang i de vergonya.

No serem pas relapses!
L'atàvic escarment
ens servarà tostemps.

Ocell refet, canta, cínic, avui,
la llibertat decapitada.

En el lema, Guimerà mana als catalans que venerin Josep Moragas, general defensor de l'Arxiduc, que fou decapitat i el seu cap, ficat dins d'una gàbia, fou exhibit al Portal de Mar de Barcelona fins que la intempèrie, els insectes i els ocellots, l'anorrearen. Pere Quart parteix d'aquest sentiment, i amb tres estrofes que corresponen a tres períodes diferents, parla de la història de Catalunya, la qual, en no ser mencionada pel seu nom, es transforma en símbol de la història de molts pobles.

Que parla de Catalunya és evident pels noms de Moragas i Guimerà, i per l'adjectiu «nostrat» del vers tercer. En la primera estrofa el poeta empra la metàfora de l'ocell que representa el cap del general, i, per parentiu, a tots els catalans, poble derrotat i vexat en la guerra de Successió. En la segona estrofa el subjecte som nosaltres, el poeta inclòs, en la primera oració, mentre que en la segona oració ho és l'escarment: tots plegats hem après la lliçó que els nostres enemics ens dictaren. Històricament resumeix més de dos segles, fins als anys trenta, període de passivitat, si més no guerrera, i descrit amb la sorneguria de la lliçó apresa.

28

En la darrera estrofa el poeta parla del present —1932: la República espanyola concedeix l'autonomia a Catalunya— amb escepticisme: sembla que l'ocell, com un fènix, ha renascut de les cendres, però els seus representants de veu cínica ofereixen una llibertat decapitada, vista la seva mesquinesa. En conjunt el poema és més aviat una paròdia dels valors tradicionals i burgesos que mantenen Catalunya en l'aparença d'emancipació. El càstig va servir per moderar-nos i fer-nos agenollar davant del mite. L'única possibilitat que el poema deixa oberta és la revolució.

He dit abans que aquesta decapitació era profètica. Deixo en mans dels lector el judici que jo crec escaient: el contingut correspon al moment actual de Catalunya. Heus aquí la profecia.

De les preguntes que sobre el poeta he plantejat anteriorment, ara en podem aventurar una resposta, Pere Quart s'encara amb la història en allò més essencial. Li interessa l'home històric —no pas per la història xovinista— i ens el presenta confós per la teologia, la justícia i el patriotisme, i per la mateixa existència. No per això podem concloure que ens trobem davant un poeta escèptic. Ho és solament quant als suposats valors eterns i a les preteses veritats irrefutables, consideració aquesta imprescindible per entendre el valor de la seva poesia.

5. LES DECAPITACIONS I LA POESIA

Qui llegeixi atentament Les decapitacions s'adonarà que per a Pere Quart la poesia és també un joc; el poeta frueix construint el poema, pensant la jugada i fent-la davant un contrincant —el lector— el qual, si sap apreciar les lleis del joc, en fruirà igualment. L'egocentrisme del poeta és el seu altruisme en tirar brillantment la pilota perquè el contrincant pugui tornar-la sense esforç, car és conscient que si l'exercici es torna hermètic, avorrit o incomunicable, la pilota no arriba bé, el joc queda suspès i desapareix la poesia.

Pere Quart és un jugador nat, i no oblidarà mai que en poesia despertar l'interès és bàsic.

A més dels poemes que ja he comentat, cito era el IV, una paròdia de romanço local, fantasia en què parla en primera persona l'«Escapçat de can Medir», lladre de camí ral decapitat per la justícia i que ara és un instrument de l'«Àngel negre», el qual es mofa d'ell i l'obliga a cometre perversitats. No manca el diàleg. L'«Escapçat», que en veritat no és mala persona ni mal fantasma, ens explica el que el diable li ordena:

> —Demà escanyaràs un frare,
> aquell que de bon matí
> sol anar a la Font del Roure
> d'amagat a beure vi.
> Escomet-lo a la impensada,
> que no es pugui penedir
> de la seva malifeta
> amb la dona del veí.

L'absurditat realista dels fets, i la imatge del protagonista amb el cap sota l'aixella, atrauen com a conte, alhora que donen el to sorneguer d'aquest romanço que presenta un contraheroi dels Serrallonga i altres bandolers famosos, en un ambient de creences i supersticions tradicionals: cala foc a les pallisses, occeix traginers, és el terror de la contrada, serveix el diable, com també és el símbol de l'esclau de les forces del destí: Déu el féu a imatge seva i l'«Escapçat» no vol altra cosa que el veritable repòs etern. Amb una rondalla surrealista Pere Quart insinua les complexitats més fondes de l'ésser humà.

La poesia com a joc la trobem també a la V on uneix el tema de l'honor amb el del comerç. I a la XIII on la novetat de la foto *matón* li inspira la decapitació fotogràfica dins la cabina. I a la XVIII, esperpent dedicat i referit a un actor mediocre i excessiu, en Jaume Borràs, i que porta un lema atribuït a Josep Carner i que deu ser del mateix Pere Quart: «El difícil art de botiguejar...» Tot el poema és una composició d'humor negre amb rima alterna en *orta* i *ou*. L'actor, intimidat pel botxí, s'atabala i

> *pren el cap que menys li importa*
> *i se'n fa mig any de sou.*

Es tracta, és clar, d'una sàtira del *teiatro* d'aquell temps.

Tot aquest joc poètic no es limita a temes fantàstics i humorístics, també la lírica apareix adesiara. Un exemple és la XIX, model de poesia «imatgista».[11] Dubto que Pere Quart hagi conegut aquest moviment anglès, i tanmateix segueix els tres principis bàsics que enuncien la idea que la imatge poètica és una concentració verbal generadora d'energia: 1. Tractament directe de la «cosa» tant si és subjectiva com objectiva. 2. No emprar cap paraula que no contribueixi a la presentació de la «cosa». I 3. Compondre el ritme dins la línia d'unes frases musicals.

Transcric aquí la XIX per tal de confirmar que segueix aquests principis:

> Sweets to the sweet: farewell.
>
> *Shakespeare*

> *Sens tija, sola,*
> *corol·la*
> *que en la nit serena*
> *vola,*
> *donivola*
> *ànima en pena;*

---

11. L'*Imagism* va ser un moviment poètic de llengua anglesa protagonitzat per Ezra Pound i F. S. Flint que el 1912 van publicar un manifest a «Poetry» (Chicago), influïts per T. E. Hulme. És indubtable el seu ascendent en el *Waste Land* de T. S. Eliot i en el *Paterson* de W. C. Williams.

livida
(com son visatge
d'adéu
a la bella vida).

Maridatge
d'ala i neu,
fruit celeste,
testa
sacra
de madama
Anna Bolena
rediviva en simulacre,
cendra i flama,
lluna plena.

A més a més de ser imatgista, és un model d'ende-
vinalla poemàtica car fins el darrer vers no ens dóna
la solució, i aleshores es transforma en doble imatgista,
la lluna és la testa d'Anna Bolena. La sorpresa final ens
convida a rellegir el poema i constatem així que totes
les paraules i imatges es concentren en la «doble cosa».
Veiem també que el poeta ha sacrificat dos accents («do-
nívola» i «livida») per tal de mantenir la rima i el ritme
musical. Aquest tipus de poema-endevinalla i la sorpre-
sa final són característics del joc poètic de l'autor i
tornarem a trobar-los.

D'altra banda, en aquest recull, hi ha dues paròdies
literàries d'actualitat. La XXII imita la poesia francesa
surrealista de Breton i Aragon amb una sermocinació [12]
espontània i plena d'hermetisme aparent i fals, que con-
trasta amb la crida al suposat lirisme del lema de Bé-
ranger: «*Le bon Dieu me dit: chante, chante, pauvre
petit.*» I la XXIII parodia l'*stream of consciousness* (el
flux del conscient) consagrat per James Joyce en el
monòleg interior de Molly Bloom,[13] primer amb un lema

12. «Sermocinació és el dialogisme d'una persona que parla
amb si mateixa» Vegeu F. LÁZARO, *Diccionario de términos filo-
lógicos*, Gredos, Madrid, 1974.
13. Joyce publicà l'*Ulisses* el 1922.

que és una citació reiterativa de Proust, i amb un text que és una llarga evocació, a l'estil de l'autor francès, plena d'automatisme i gratuïtat.

Les segueix la XXIV, un quartet amb dos apariats i que porta un lema de Mallarmé, «*les anciens désacords/ avec le corps*»,[14] que introdueix el tema del poema, el qual no té res de gratuït malgrat la seva aparença grotesca. Tracta de l'intel·lectual «pur», aquell que viu al voltant del seu cap separat del cos, i ha de cloure un ull per poder-se veure solament una secció del nas que li dóna la personalitat.

Expressament he deixat per al final dos dels «còmics» —també ho era, per exemple, l'«Escapçat de can Medír»—, però aquests dos que ara comentaré arrodoneixen la unitat ideològica del llibre.

Un és la VII que es va publicar anteriorment amb el títol d'«Escola de Balades». Té un esquema mètric irregular si se'l compara amb les formes clàssiques, però també una regularitat donada per l'accentuació i per la rima. Tracta de la trobada casual entre el poeta decrèpit i la donzella que ha llegit els seus versos:

> *...Llur besar lingual,*
> *llur abraçada estreta,*
> *foren salut, carícia i pecat capital.*

És digne d'assenyalar-se el valor trisèmic del darrer mot: perquè va darrera de pecat, el pecat màxim que mereix la màxima pena; perquè ho ha fet amb el cap, ho ha planejat com una seducció; i «capital» també significa la «part principal», en aquest cas d'un amor «il·lícit». El desenllaç és semblant a un conte de fades però a l'inrevés. El poeta vell és qui se'n beneficia i fuig «bell, jove com un patge» mentre que la donzella en surt decapitada. És clar, Déu i el paisatge s'esglaien. Aquest déu espantat davant la seva creatura el retrobarem en poemes posteriors.

---

14. «Le Cantique de Saint Jean». És evident que Pere Quart es refereix també a la degollació del sant.

L'altra decapitació és la XXV, que clou el llibre, un divertiment tràgico-còmic escrit amb versos d'art major. La forma és plenament clàssica: sis estrofes, cadascuna construïda amb sis versos decasíl·labs i rima consonant. El surrealisme predomina, però aquí és positiu en comparació amb les decapitacions XXII i XXIII, que eren fonamentalment paròdies d'una escola poètica que Pere Quart sempre va veure condemnada al fracàs. L'autor ara introdueix tota una ideologia, això sí, amb un to frívol que és una novetat per la forma, car es descobreix en aquest to aconseguit amb estrofes d'art major que contenen una imatgeria, per surrealista, absurda. D'aquesta manera no solament posa punt i final al llibre, sinó que recull tots els fils solts i les vint-i-cinc decapitacions esdevenen una unitat, com si fossin un sol poema.

Dic que es tracta, la darrera decapitació, d'un divertiment de surrealisme positiu. Surrealisme, el fet que una dona sense testa tingui set i «per tal de beure es posà un crani/d'autor anònim i contemporani», que els déus antics «d'incògnit i amb sabates/rondaven els cancells dels ministeris», que C. Borja «emplenà l'aire de funestos gasos», que el Jutge Major «assassinà la dona sense testa/una hora abans de començar l'enquesta». I positiu, a la manera de Pere Quart, tot construint poesia contrapoètica, fent literatura contraliterària, destruint la imatge de l'autoritat, tant la dels qui la representen com la dels qui l'acaten. I així, entre les dues escenes principals de la narració, l'aparició de la dona decapitada i la seva mort a mans del Jutge Major, que suggereix la figura de Jehovà irascible i gelós, i que corresponen a les estrofes primera i última, hi ha una ambientació contraautoritària i escèptica amb una excepció clau. L'ambient el donen un «barman de camisa deshonesta» i els literats convençuts que això de les decapitacions ha passat de moda, un metge que clama «que sovint les lleis de la natura/estrafan la política d'altura», uns científics i governants que fan que «dues religions impracticables/tot d'una esdevingueren veritables», un

34

militar que ensenya un pòquer d'asos —una premonició del franquisme?—, els «funestos gasos» d'un fill de papà que inventa la guerra química i se'n serveix com Cèsar Borgia (o Borja) se servia de la química dels més variats verins mortals. És a la cinquena i penúltima estrofa on, mantenint encara el mateix to irònic, el poeta apunta l'excepció, una de les seves idees pròpiament positives: «l'ínfima xifra d'una fe infinita» de l'home. Però això apareix solament com una insinuació, car el poema acaba amb la descripció del Jutge que d'un rampell assassina la dona.

Això és el que diu la decapitació final que en certa manera sintetitza tot el recull; però si fem cas a Rifaterre [15] hem de trobar la matriu del poema en allò que no diu: que la vanitat i l'anècdota —l'atzar—, la por i l'interès personal, fan rodar el món, i que l'única actitud possible de l'home conscient és la d'optar per un existencialisme àcrata, basat en el coneixement de si mateix, i a partir d'aquí, de tot el que l'envolta. Aquesta ideologia, en la meva opinió, és el motor del joc verbal de Pere Quart i l'arrel de tota la seva poesia, també la anomenada social.

15. RIFATERRE, Michael, *Semiotics of poetry*, Indiana University Press, Bloomington & London, 1978.

II. «Bestiari»

1. «JO SÓC TAMBÉ UNA BÈSTIA»

La primera edició de *Bestiari* data del 1937, després de l'aparició de l'*Oda a Barcelona*, però tanmateix pertany cronològicament al període de *Les decapitacions* i per això en les publicacions de la seva obra poètica sempre el situa abans. Pere Quart diu que les composicions del *Bestiari* són una mostra de poesia epigramàtica, en el sentit, suposo, de satírica i de breu, però també és cert que contenen una pretensió d'objectivitat. En les bèsties i el vegetal sobresurt el joc poètic com a exercici noucentista, fruit d'una collita antiga i d'una forta poda, coses que ens recorden que el poeta ho és per vocació, que ha escrit versos des de l'adolescència, i que la seva autoexigència comporta forçosament una mesura d'objectivitat selectiva.

S'ha dit d'ell que és un moralista. La meva opinió és que el seu moralisme, com posem per cas el seu surrealisme, no són res més que recursos literaris que, quan cal i escau, utilitza. Ara bé, en aquest recull, ho fa d'una manera socràtica, utilitària, ensenya a viure, a governar, a governar-se, i no pas a la manera d'un Plató que fa filosofia, que «emborratxa la perdiu».[1] Si recordem la decapitació VI, l'«*Amonestament de la testa parlant a les fadrines*», tot el moralisme dels 54 versos es pot reduir als dos finals: la sàvia testa guia la fadrina a través del poema fins que aquesta «caci casori», l'ideal de les fadrines joves, però en el darrer vers s'explica tot: «i foti un nyap». Ha parlat el poeta

---

1. Dita popular que Pere Quart importà del seu exili xilè. Significa expressar idees vagues i ambigües amb paraules sublims, per tal d'enganyar els babaus.

socràtic i empirista que ha col·locat a nivell poètic amb concisió irònica dues paraules vulgars. El complement «nyap» rera el verb «fotre» que recalca la idea de «fer» és una coda sorprenent i brevíssima que relativitza tota la saviesa anterior. El poeta imposa aquí, per mitjà d'un adequat subjuntiu, la veu de l'experiència.

És l'empirisme, i no el moralisme, el tret més característic de Pere Quart, i això ho afirmo també pel que fa als epigrames del *Bestiari,* on hi ha un cert moralisme que assenyala vicis i virtuts, però no pas per un prejudici del bé i del mal —com a les faules clàssiques—, sinó per la mera descripció del condicionament dels homes i dels animals, i la interrelació de llur comportament. Sovint tant podem creure que una bèstia li ha suggerit una persona com a l'inrevés. Més encara, a vint-i-tres dels quaranta-sis poemes menciona l'ésser humà directament, i indirectament gairebé en tots. Aquesta interrelació humano-animal ja està indicada a la dedicatòria —«Al Camús, el meu estimat gos»— alhora que és un fet que els gossos han estat figures importants i envejables en la vida del nostre poeta. En protagonitzar el darrer epigrama, «Jo», Pere Quart es confon amb els animals. I aclareixo que aquest poema, «Jo», no és el vegetal, com alguns crítics han interpretat,[2] emparats potser per la mateixa equivocació del dibuixant, Xavier Nogués. Molts han cregut que aquesta poesia era com una culminació irònica, el vegetal que la breu introducció menciona. Aquest, de fet, és el penúltim epigrama, «Bacil», ésser microscòpic que, estrictament parlant, és un vegetal. A qui li ho pregunti el poeta contesta: «Jo també sóc una bèstia, i ja és molt.»

Partint, doncs, d'aquesta relació igualitària home-animal, em fixo en la nota de presentació on el poeta

2. Vegeu especialment un assaig de Joan A. ARGENTÉ, *Parodil·lelismes,* a «Reduccions», núm. 6, Vic, gener de 1979, on, malgrat l'excel·lència estructuralista, a la nota 21 també cau en aquesta interpretació en dir: «Aquesta... metamorfòsica actitud de l'autor es palesa en el darrer poema de l'obra, dedicat al presumpte "vegetal": "JO".»

invoca Homer com a precedent seu perquè va versificar «amb insidiosa fantasia a propòsit de déus i semidéus». Amb el paral·lelisme entre déus i bèsties tanca en un cercle el món sobrenatural o fantàstic, el qual no pot tenir altre fonament que el dels sentits.

D'acord amb això Pere Quart produeix una inventiva a nivell de l'experiència vital i quotidiana, pel seu contacte amb semidéus —tot tipus de gent, ell inclòs— i animals; i les imatges i idees que els textos ens presenten únicament tenen de tradicional —com Isop, Llull i La Fontaine— els protagonistes. En conjunt hi ha un equilibri entre allò líric i allò humorístic, entrellaçats. I si algú els troba moralitzadors no és per raó d'atacar directament uns vicis i d'elogiar unes virtuts, a la manera medieval, sinó perquè descriuen els costums humano-animals, i és natural que tant l'autor com el lector apliquin als costums llurs prejudicis.

Hi ha hagut dues maneres més, aquestes pròpies del nostre segle, de poetitzar les bèsties. Una és la lírico-emotiva, els principals representants de la qual són Apollinaire, amb el «seguici d'Orfeu», i D. H. Lawrence que reprodueix l'energia sexual dels animals. L'altra és la de Nicolás Guillén i Ted Hughes que usen les bèsties com a símbols de la sàtira política. En aquesta línia no vull deixar de mencionar, encara que quedi a part, la prosa al·legòrica de George Orwell.

Al *Bestiari* de Pere Quart hi ha una varietat temàtica que dificulta catalogar-lo. Cada animal origina un tema diferent i mentre el to líric no arriba mai a l'exaltació d'un Apollinaire o d'un Lawrence —no s'avindria a la forma de poetitzar de Pere Quart—, la sàtira no té el sentit polític estricte de Guillén que denuncia la CIA, o de Hughes els nazis.

Allò que es desprèn d'aquest llibre és l'evident sentit social, que comporta tota sàtira, a partir d'una actitud empirista. Els recursos literaris que empra i la temàtica que exposa són el fruit d'un enginy obert no solament a tots els corrents sinó també a tots els fets. En relació amb aquest enginy vull anotar un darrer punt comparatiu. Crec que supera els mestres del seu temps, Guerau de Liost i Josep Carner. Avui ja és obvi que Guerau de Liost fou limitadament enginyós i la seva originalitat formal la va restringir pel contingut, mentre que Carner, si bé va posar menys fronteres al seu enginy temàtico-formal i mostrà un ampli domini de la paraula, no va saber en el seu Bestiari afrontar la realitat amb la precisió que caracteritza Pere Quart. Potser perquè es va prodigar massa.[3]

2. ALGUNS ACLARIMENTS I LA PRIMERA BÈSTIA

Normalment els crítics distingeixen entre analitzar i interpretar el poema sense insistir suficientment en el fet que tota anàlisi és també una interpretació, i que aquesta pot esdevenir un exercici, a més de pedant, repetitiu i arbitrari, si no té una base objectiva, encara que sigui evident que, davant el producte poètic, cadascun dels lectors l'interpreta a la seva manera, i fins i tot quan coincideixen amb la interpretació del poeta, aquesta té sempre caràcter subjectiu.

Tanmateix avui ja sembla que una ciència que ens proporcioni les claus de la interpretació, a partir de l'anàlisi de la forma del text (forma també del contingut), és teòricament possible. I que hom podrà arribar científicament a explicitar els principis que operen tàcitament en la lectura del text poètic. Aquest és el llarg treball dels semiòlegs, des de Richards i Ogden[4] fins a Rifaterre.[5] Aquest darrer obre un nou terreny en parlar d'allò significatiu del poema, que ell anomena el signe

3. M'imagino que hi haurà crítics, més que lectors, que no estaran d'acord amb aquesta darrera conclusió meva. Els remeto, com a prova definitiva del que he escrit, al darrer recull de Pere Quart que acaba d'aparèixer, *Poesia empírica.*

4. RICHARDS, I. A. i OGDEN, C. K., *The meaning of meaning,* 1930.

5. RIFATERRE, Michael, *op. cit.*

de la matriu, que tant pot ser una lletra com un mot, o una frase, o un signe de puntuació, o el poema sencer, i que es converteix en el principi de tota interpretació.

Podem, doncs, acceptar la interacció contínua entre la lectura i la interpretació del poema, malgrat que no es pot donar una descripció objectiva d'aquest. Però alhora constato una diferència que correspon a la informació sobre i del text, d'un costat, i de l'altre, la seva interpretació.

Poso un exemple, ja mencionat, en relació al *Bestiari*. Quan fem una lectura d'aquest llibre, que he classificat d'«objectiu», brollen els problemes de l'assimilació al voltant d'aquell «jo sóc també una bèstia», en especial si prenem el recull sencer com una unitat poemàtica. La precisió informativa és fonamental per entendre la poesia que hom llegeix, però, com he dit, la informació és sempre interpretació. Aquí el poema va acompanyat d'un element gràfic, i l'errada del dibuixant que va fossilitzar el poeta amb pipa i li va plantar algues per donar-li caràcter vegetal, ha modificat els dos darrers poemes del *Bestiari*, sense que per això l'obra d'art se'n ressenti, o hagi perdut la més mínima càrrega de significació. La interpretació dels lectors que han seguit la idea de Nogués parteix d'una base falsa, però això només canvia la primera intenció de Pere Quart, que al capdavall accepta l'error per comoditat. El poema, com tot, és també manejat per l'atzar.

Naturalment la lectura es complica en el moment d'interpretar, de trobar un sentit, car el poema, o un fragment d'ell, diu sovint allò que no diu textualment, i no merament per un afany irònic. Pretenem aleshores una assimilació profunda, parar-nos en les implicacions subtils que descobrim en el significant expressat obertament. Es tracta d'un exercici subjectiu, a diferència de la informació que es pot constatar d'una manera relativament objectiva i precisa.

Ara per ara, tot això, no és res més que una pretensió de reinventar —els semiòlegs dirien desxifrar—

el sentit, tot proposant un model que clarifiqui els textos.

Amb un tal intent d'interpretació, llegeixo la primera poesia del *Bestiari* que es titula «Cérvol» i consta d'un sol dístic de rima consonant i mètrica i accentuació regulars, tot ell sona com un poemet oriental:

> Com un arbre rabent,
> arrelat dins el vent...

Amb el títol de «Cérvol», un animal conegut, constato la imatge d'aquesta bèstia que porta branques al cap com un vegetal, però que és un ésser lliure i mòbil. I en acabar la lectura hi veig un signe que em sembla significatiu, el que coincideix amb el signe ortogràfic «punts suspensius». Aquest signe em suggereix la vida humana, que inclou la vegetal i l'animal. Torno ara enrera: el vent simbolitza la vida en la qual l'home també està arrelat. D'aquí passo a «rabent», sinònim de ràpid, veloç, que adjectiva l'arbre, ésser que suggereix un cicle dins un àmbit reduït, amb un moviment exterior limitat i un subtil moviment interior, un ésser útil per a fer ombra o aixopluc, per a donar aliment, estètic, i, un cop mort, per a tornar-se fusta i calor. I torno al títol, cérvol, que junt al dístic-poema representa una bellesa vital que l'home contempla com a part del seu ésser, però també com a símbol de la seva realitat conflictiva, entre la limitació i el moviment.

He arribat a una tal interpretació conscient de la simplicitat del poema que al capdavall es podria reescriure en prosa sense a penes tocar-lo: el cérvol és un arbre que en comptes d'arrelar en la terra arrela en el vent. Els punts suspensius semblen innecessaris, però el poeta ho ha escrit així, i tenint-los al final, el producte pròpiament dit no és una definició tancada, sinó una descripció d'un símil que suggereix una imatge de la natura, i, per extensió, de la vida humana.

3. *LES IMPLICACIONS DEL* BESTIARI

Amb el *Bestiari*, i sense oblidar *Les decapitacions*, Pere Quart es confirma com un poeta d'avantguarda. No és aquí per omplir un buit de la passada decadència, per continuar la línia dels famosos Verdaguer, Maragall, Carner i Riba que, conscientment i inconscient, mantingueren l'esperit de la burgesia. Ell el rebutja i esdevé el poeta de l'«oposició».

Ja he dit que el *Bestiari* és un llibre d'enginy, en el contingut i en la forma, i agermanat a *Les decapitacions*, però a més a més significa un trencament amb la literatura elitista i socialment privilegiada.

El llenguatge, aquesta convenció entre els homes, pertany a tots, i la seva escriptura és un art en el sentit exacte del terme, una tècnica, que es pot cultivar sense prejudicis temàtics, sense eufemismes, i que no necessita transcendències universalistes. Així, nu d'aquestes influències, potser paradoxalment, el llenguatge es conserva i esdevé humà i universal. Vegem-ho en Pere Quart.

Després del lirisme de «Cérvol» passo ara a comentar la segona bèstia, «Conill». El poema diu el següent:

> Conill, per què tems el temps?
> La pineda està tranquil·la
> i tanmateix mous ensems
> musell, orella i pupil·la.
>
> —Escolto la veu dels pins,
> flairo l'oratge que em fibla
> i esguardo vers els camins
> de la ciutat invisible
> on homes de cor mesell
> desengreixen el fusell
> que fa aquell pet tan terrible.

Una vegada llegit, assenyalo primer dos trets generals del conjunt del recull, el ritme i la rima impecables, i, d'altra banda, que no hi ha cap bèstia mítica, fins i tot el tigre surt engabiat. Quant al poema per si mateix, representa un diàleg entre el poeta i el conill amb una identificació imaginativa del primer envers el segon. Amb un llenguatge senzill, els quatre primers versos atribuïts a l'herbívor eleven el to de la poesia a un nivell líric i no repugnaria que el poema acabés, dins l'estètica ortodoxa, amb els mots «ciutat invisible». Però no és així, el conill ens diu la raó de la seva inquietud amb la imatge dels homes amanint el fusell, i aleshores és quan el poeta, conscientment, rebaixa el to líric sostingut fins a la vulgaritat de significació i onomatopeica del «pet tan terrible», amb el doble significat de «pet» en sentit estricte i d'espetec.

Aquesta «caiguda» lírica interessa perquè és una de les constants de Pere Quart, no sols com a recurs sorprenent que és tradicional en literatura, i al qual afegeix un canvi de to, sinó també perquè correspon a la seva ruptura amb tot tipus de poesia eufemista, sublimada o solemne, i torna a les arrels empíriques, car els seus poemes no es clouen mai en les altures ideals ni transcriuen la deshumanització d'idees o d'imatges.

El poema sencer està contingut dins l'objectivitat vital, amb la telepatia de la bèstia que escolta, flaira i esguarda, quan la tranquil·litat regna, i tem els homes insensibles que poden matar-lo instantàniament, i amb la sàtira doble, per l'ambivalència del fonema «pet», pel fet que l'animalet recordi el soroll, cosa que pot voler dir que l'home ha fallat el tret algun cop.

Insisteixo ara en l'enginy del *Bestiari* i, per això, posaré alguns exemples, tenint en compte que un mer acudit, elaborat poèticament, porta sempre un pes substancial. Començo així amb la bèstia 45, el vegetal, que es titula «Bacil». Està escrit en sis versos monosil·làbics, com un cal·ligrama en forma de bastó, que aquest és el significat de bacil en llatí, i el bastó o bastonet simbolitza el càstig, càstig —aquí malaltia— que és una roda de la fortuna de tota la humanitat. Diferent és la bèstia 34, «Bacallà», que consta d'un dístic de versos hexasil·làbics on hi ha fonamentalment un joc de tres imatges per l'acció de la tempesta: banc (de fusta), banc de bacallà i bacallà (esqueixat). Una troballa intraduïble a qualsevol llengua és la bèstia 18, «Colomí», on torna a mencionar directament l'home i el plaer de la caça:

> L'home voldria tenyir
> les teves ales de sang.
> No et paris, colomí blanc.
> No paris blanc, colomí.

La troballa és la relació de repetició dels dos darrers versos convertits en homònims pel canvi de lloc de la coma, «paris, colomí blanc» i «paris blanc, colomí» amb les dues significacions diferents.

Una imatge visual geomètrica és la bèstia 15, «Girafa», on la distància entre els ulls de l'home i el cap de la bèstia és el nucli de l'epigrama.

Un exemple, entre molts, d'ironia el trobem a «Tigre captiu», la 12, on el poeta s'adreça al tigre perquè li confirmi el motiu de la seva pell ratllada:

> ¿Les fuetades t'han ratllat la pell,
> o potser l'ombra de la reixa?

Aquestes falses suposicions ressalten la imatge del tigre i la veritat que rep fuetades i viu entre reixes.

Un aforisme que es desprèn d'una imatge es troba a la bèstia 11, «Ós blanc», l'ombra del qual sobre el gel configura un ós negre i recorda la decapitació XX, on el poeta parlava de l'ombra única del «tors i de la testa» del guillotinat abans de l'execució. L'aforisme diria: «per més blanc que siguis la teva ombra és negra».

Com a darrer exemple, entre tants, d'enginy, menciono la transposició que indica la bèstia 3, «Guineu», on el poeta faria un abric per a la guineu de la pell de prostituta de luxe i no a l'inrevés.

Això ens porta a comentar el *Bestiari* globalment i

fixar-nos en aquells passatges que millor reflecteixen la sàtira amb què el poeta trenca definitivament amb els ideals de la seva classe, la burgesa i dominant. Pere Quart, com a literat, i com a poeta, sap que és ben cert allò que va dir Manolo Hugué, que l'artista que té la tasca més difícil és l'escriptor,[6] i també allò que més recentment ha dit Roland Barthes, que l'escriptura és un llenguatge endurit, sovint introvertit i simbòlic.[7] El nostre poeta, conscient de tot això, experimenta el buit de la història i l'emparentament de l'escriptura amb l'autoritat.

Aquesta consciència la manifesta en la bèstia 8, «Bou», tot reforçant el contingut amb versos d'art major:

> *Ah, si fos poeta! Cada solc ensems*
> *vers esdevindria i cada llaurada*
> *poema bucòlic de tàvecs i fems*
> *i gestes heroiques de gent embanyada:*
> *vides fatigoses, coratges extrems*
> *i drames d'estable de banya doblada.*

Els paral·lelismes bou-poeta, solc-vers, llaurada-poema, amb la ironia de l'adjectiu «bucòlic», i els altres paral·lelismes: poema bucòlic-tàvecs i fems, i gestes heroiques-gent embanyada, ambdós amb doble sentit per causa de la bèstia protagonista, i al final la conclusió dramàtica a l'estable, tot això suggereix els drames de cort o d'alcova despullats d'eufemismes. D'aquí que el nucli del poema em sembli el desig inicial del bou, «Ah, si fos poeta!», que si es complís també ell podria enaltir els drames del seu i de tots els estables.

Curiosament també és d'imatge bovina l'altre poema on el trencament de Pere Quart amb l'esperit classista és militant, per les connotacions històriques que inclou i per les implicacions dels vers final. Es tracta de

6. Vegeu Josep PLA, *Vida de Manolo*.
7. BARTHES, Roland, *Le degrée zéro de l'écriture*.

la bèstia 10, «Vaca suïssa», el títol de la qual és una metàfora per a l'obrer català si acceptem que Catalunya és a Espanya el que Suïssa és a Europa, i el grau de productivitat, no gens menyspreable, del tal obrer. El poema en si és un contrapoema de «La vaca cega» de Joan Maragall, basat en un contraideologia concreta, la de l'emancipació del proletariat. El poema de Maragall és el símbol d'una Catalunya mansa que es torna cega d'un cop de pedra d'un *gamberro* —avui podríem dir, exponent d'un *plumazo* d'algun militar carpetovetònic. La vaca suïssa no, és una rebel —recordo també l'article de Maragall, «La setmana tràgica», on insinuava la possible integració obrera en l'esperit burgès—, i renega d'aquella actitud resignada i sotmesa, i declara, al vers final: «jo sóc la vaca de la mala llet» després d'engegar a dida a qui l'explotava.[8] Amb aquesta composició d'un humorisme mordaç, Pere Quart ens projecta una visió històrica de l'economia i de la societat d'abans de 1936.

El darrer poema, la bèstia 46, «Jo», no correspon a la seva situació psicològica de quan el va publicar, el 1937. Quan el poeta, en nom dels seus congèneres, o dels déus, es presenta com una bèstia més, no estava encara integrat a la Revolució, i per això calia que li despertessin «la pell i les entranyes», i tanmateix, per mantenir la unitat original del *Bestiari*, no retocà el text que manifesta el seu condicionament al voltant dels anys trenta que el fa retratar-se com un nàufrag, «sentimental il·lús / al cul de sac de les antimuntanyes», imatge, aquesta última, insòlita i que ja havia utilitzat en la bèstia 33, «Peix mort»: el «cel» dels peixos, a les antimuntanyes, on van les seves ànimes, «allèn el sostre on fins s'atura / el més feixuc naufragi». El poeta no pot travessar aquest sostre i pretén que una «mà

8. El poema ara té sis estrofes, una més que quan es va imprimir per primer cop. L'estrofa nova és la tercera, i diu: (¿I no sabeu que l'amo, un modernista, / em volia succionar els mugrons / amb un giny infernal, cosa mai vista, / que em deixaria eixuta en pocs segons?)

enguantada de bus» —imatge que insinua un possible amor— li pot despertar «la pell i les entranyes». En efecte, podríem parlar d'amor, però el que és segur és que el bus, l'home ordinari i oprimit, el va despertar, i de quina manera!, el juliol de 1936.

III. «Oda a Barcelona»

1. CONSIDERACIONS PRÈVIES

Durant la revolució «químicament pura» de 1936, quan l'exèrcit reaccionari havia estat derrotat a Barcelona i Durruti marxava cap a Saragossa, quan els anarquistes governaven a l'est de la Península ibèrica i havien fet de Barcelona la capital llibertària d'Europa, Pere Quart va escriure i publicar aquesta oda.[1]

Escriure una oda a Barcelona no era una novetat.[2] Sí que ho eren en canvi les circumstàncies històriques en què s'escrivia[3] i les circumstàncies personals del poeta que, fins a l'esclat de la revolució, havia simpatitzat, com a escriptor, amb el grup literal (Acció Catalana) de la societat burgesa, és clar que a la seva manera, amb l'originalitat i la rebel·lia que ja he apuntat.

Hi ha moments que per més que vulgui cenyir-me merament als textos del poeta, seria una limitació impròpia no referir-me a la seva vida. Crec que aquest és un d'ells. Pere Quart, a partir de la revolució del juliol del 36, pren una posició clara. Pertany, per naixement, a una classe antirevolucionària, de la qual molts cauran «ajusticiats» per la violència anarquista i molts d'altres fugiran. Ell no, ell es queda i, amb altres republicans, funda a Barcelona, l'Agrupació d'Escriptors Catalans, de la qual esdevé president, dit sigui de pas, perquè les primeres figures tenen por i no volen arriscar-se

1. Publicada primer pel «Comissariat de Propaganda», 1936, i després a «Hora de España», VII, València, juliol de 1937, amb la data d'agost de 1936.
2. Vegeu *10 odes a Barcelona*, Editorial Aymà, Barcelona, 1972.
3. Vegeu especialment George ORWELL, *Homenatge a Catalunya*, Ariel, Barcelona, 1970.

a ocupar un càrrec que compromet massa. Tot seguit s'ha d'encarar amb un escamot armat de la FAI però ell i Francesc Trabal aconsegueixen que l'Agrupació sigui reconeguda per la UGT i quedi establerta al palau Robert. Més tard és també fundador i membre de la Institució de les Lletres Catalanes. Escriu cançons de guerra i la lletra de l'himne de l'Exèrcit popular català. Des d'aleshores Pere Quart emprèn una tasca revolucionària que no abandonarà mai, i que podrà realitzar obertament fins a l'exili. Aquests anys de la guerra civil, a la qual ell qualifica de guerra d'agressió, són el període de plenitud de la seva vida, car pot conjugar i conjuga ideologia i acció.

Naturalment que podem tenir o no present aquesta realitat personal del poeta en llegir l'*Oda a Barcelona*, però crec més beneficiós —i atractiu— donar el màxim d'informació sobre l'autor envers la seva obra, que limitar-me a una anàlisi objectiva d'aquesta com si es tractés d'una poesia anònima.

L'*Oda* és un poema relativament llarg, de 148 versos. Està dividida en divuit estrofes que tenen des d'un vers (estrofes 1 i 16) a trenta versos (estrofa 9), és de ritme lliure, amb versos que van des de tres síl·labes, la majoria amb un sol mot, «Barcelona», a setze.

Com que la meva interpretació de l'*Oda* es fonamenta en una lectura heurística, no ignoraré les diferències entre la primera versió de 1936 i la de 1975 [4] que l'autor dóna per definitiva, i si prefereixo la darrera com a text de referència és per tres motius: primer, pel que acabo de dir, que el text ha estat corregit pel mateix Pere Quart; segon, perquè aquesta versió és a l'abast de tothom; i tercer, perquè les esmenes o canvis no afecten la substància del poema. Tanmateix les compararé sempre que pugui il·luminar així el meu comentari.

4. Vegeu Pere QUART, *Obra poètica (Obres completes de Joan Oliver)* —1, Proa, Barcelona, 1975. La primera versió de 1936 va ser publicada amb il·lustracions de Junyer, sobre paper vermell i amb lletres blanques.

Si d'una banda Barcelona apareix personalitzada —directament i per primer cop al vers 24, «bruixa frenètica»—,[5] aquesta prosopopeia està contínuament lligada a una descripció realística de la Barcelona-ciutat d'aquell temps. El poeta manté durant tot el poema l'equilibri entre allò figuratiu i allò històric; barreja, uneix, separa, segons li convingui, els dos plans, la qual cosa dóna flexibilitat i intensitat al poema sense haver de recórrer a cap subterfugi conceptualista. Les onze primeres estrofes descriuen el present amb referències al passat, la «bruixa frenètica» tenia abans un posat de «monja llamenca», la mare burgesa, i aparentment resignada, s'ha llançat a viure despullant-se de tots els prejudicis, de tota moderació: «la flama del teu somni» (vers 5) és el motor d'aquest canvi. Les estrofes 12, 13 i 14 constitueixen una visió de la Barcelona-ciutat envers el futur, i en futur van els verbs principals, després d'una expressió escèptica, «si vols» al vers 129: «esdevindràs, si vols, la capital altiva», i l'estrofa 14 acaba amb Barcelona personalitzada en una posició ideal, compensada pel lleu to irònic del mot «mestressa»: «mestressa sobirana» (vers 132). L'evolució és clara: monja, bruixa, mestressa. Però l'oda no acaba aquí. Les quatre estrofes darreres, que tot plegat tenen catorze versos, inclouen tretze verbs en imperatiu i només un de repetit, «vigila» en el vers 147. El poeta s'està adreçant a la possible «mestressa sobirana / sola en ton clos obert com una rosa / dels vents», completament aïllada

5. «Vident frenètica» a la versió d'«Hora de España», *op. cit.* Qui conegui l'*Oda nova a Barcelona* de Joan Maragall (vegeu *10 odes a Barcelona, op. cit.*) observarà que la personificació de Barcelona de Pere Quart correspon, en certa manera, a la dona esquizofrènica que Maragall descriu com a monja i senyora d'un cantó, i de l'altre «marmanyera endiablada», rèplica que produeix la imatge de la Revolució possible, «mestressa sobirana»; tanmateix, com molt bé diu Arthur Terry (vegeu Joan MARAGALL, *Antologia poètica*, Edicions 62, Barcelona, 1981) en els darrers poemes de Maragall, que inclouen la seva *Oda* hi ha un «intent de participar activament en el debat contemporani sobre el futur de Catalunya».

i símbol universal (clos obert), cercle amb els trenta-dos rumbs en què es divideix l'horitzó, i li aconsella que tingui cura del seu fill que ha concebut en la follia: «Pensa en el fill que duus a les entranyes», vers 148, el darrer.

2. UNA INTERPRETACIÓ DE L'ODA A BARCELONA

La primera estrofa divideix Barcelona entre els espectadors —«finestres»—, esperançats o temorencs, i els actors que configuren la nova Barcelona —«bulls i et regires».

La segona estrofa d'un sol vers, el 3, diu que «la nit s'atarda», a la fosca, a la negror li costa d'anar-se'n.

La tercera estrofa (versos 4 a 7) ens parla d'un passat afalagador, per a alguns, i ara en procés de destrucció —«coixins esventrats»—, i de la moderació aparent, la repressió anterior de la ciutat suggerida en «la flama del teu somni». I ens parla també del present, de la justícia del poble que assassina els seus assassins —«la sang nova del crim». Morta la infàmia amb aquesta nova sang que el clam de justícia fa vessar, resta la barreja, car no és fàcil discriminar els aprofitats i els oportunistes d'entre la massa, la immediatesa dels fets no ha donat temps per a fer-ho.

A la quarta estrofa (versos 8 a 15) el poeta menciona Barcelona pel seu nom, està «ferida i eixalada» —els seus ciutadans antirevolucionaris ja la boicotegen per impedir que voli: primera visió del futur. L'estrofa continua amb unes imatges de la crema d'esglésies, sense anomenar-les. És un moment de festa i les campanes han caigut dels campanars i estan «soterrades». Però el futur és insegur: les creus de les esglésies, en ser llançades a les fogueres, volen com «ocells d'incert auguri», perquè són negres. El fet és que el poble —«els murs»— que aguantava les naus dels temples, ara només suporta les seves il·lusions i els seus anhels d'una vida millor:

> Els murs suporten voltes invisibles,
> fumeres, panys de cel,
> roba blanca de núvols.

A la cinquena estrofa (versos 16 a 18) el poeta es manifesta espectador —«d'aquí estant»— però espectador que pren partit pels revolucionaris —«el tumult és ordre»—, és a dir, el crim no és tal crim, i amb una metonímia assenyala la por del grup social dels *beati possidentes*: «L'or pàl·lid ni respira.»

A la sisena estrofa (versos 19 a 21) amb la sinècdoque de les rodes «terreres» es refereix als cotxes requisats pel poder popular, i la imatge, per contrast, recorda la classe i l'estil de l'ordre antic que no cal mencionar. Fins i tot l'aire que infla els pneumàtics és aire de tempesta, les rodes són com veles de vaixell arran de terra, i «envilides».

A la setena estrofa (versos 22 a 29) Barcelona apareix anomenada com a dona —«els teus fills no t'acaben d'entendre»—, alliberada, «bruixa frenètica», i transformada en «matalàs d'esperes», és a dir, que aguanta tots els cops. El poeta ens diu allò que perd i allò que guanya. Perd els valors tradicionals i burgesos, «la vergonya i la senyera», com si senyera derivés de «seny», el valor semàntic del qual és difícil de traduir i es considera la virtut nostra per antonomàsia. I aconsegueix guanyar-se la vida —destituïda de privilegis— «entre la mort i la follia».

La vuitena estrofa (versos 30 a 42) té dues parts. A la primera (versos 30 a 33) Barcelona, personalitzada, balla, i es pentina, no pas amb pinta de nacre sinó amb «estelles», i es maquilla, no pas el cutis fi sinó les ferides, amb una mescla de «pólvores» —mot que porta la connotació de pólvora— i «cendres» de tot allò que ella vol cremar i crema. A la segona part descriu els fills que reaccionen renegant de la mare alliberada, el patriotisme dels quals són els privilegis, i que la «maleeixen» car, paradoxalment, va sutzosa ara que ja no s'inscriu «en el joc brut de la riquesa / dels favorits i les bagasses».

A la novena estrofa (versos 43 a 72) Barcelona canta «una cançó maligna que ens eixorda» i desperta els altres fills, els que la segueixen, i tota l'estrofa és una rècula d'imatges de l'acció d'aquests fills fidels per fer seva la ciutat, perquè la nova Barcelona arribi a tot arreu i no quedi cap racó sense el seu esperit. Les imatges que aquí trobem, amb tocs d'humor i d'ironia, amb la barroeria dels fills fidels i la precaució dels «aviciats», formen una síntesi del moment històric per la seva autenticitat: «els balcons s'esbatanen / i entren alenades goludes de carrer». La invenció i el realisme imaginatius seleccionen allò més rellevant, així «les catifes comuniquen / tímides queixes a les espardenyes» i les «llambordes són dreçades a cops d'ungla furiosa», que en aquest darrer cas indica que la gent arrancava les llambordes dels paviments per fer-ne barricades —i que la primera era la més difícil de treure. I tot acabava amb les lletres vermelles escrites sobre la tela blanca penjada als balcons i voleiant al vent: «Estatge incautat per les Joventuts Revolucionàries».

A l'estrofa desena (versos 73 a 91), i a propòsit d'aquesta victòria que obliga els de classe alta a disfressar-se de proletaris, el poeta medita sobre la nova joventut i assenyala el tremp que aquesta ha d'aconseguir: ofegar «l'antiga enveja», comuna a tots els homes, i alhora fa una relació de les injustícies que el proletariat patia, però no com a l'Espanya negra —«no pas fam o nuesa»— sinó més aviat una indignitat material i moral: «El treball prostituint-se / en les cambres secretes del negoci, / enllefiscant-se / en les llacors del luxe.» A partir d'aquest consell d'ofegar l'enveja, que dóna a Barcelona, simbolitzada aquí per la nova joventut, Pere Quart inicia la part imperativa, que en la meva opinió és una qüestió d'estratègia bàsica envers el triomf definitiu de la Revolució, estratègia que dictarà clarament, i poètica, a les darreres estrofes.

L'onzena estrofa (versos 92 a 107) presenta la vida quotidiana de Barcelona amb els canvis, alguns suggerits, d'altres descrits, que la lluita miliciana va imposar. Enumera fets: les floristes no venen, les roses no arriben a les grans cases, la Venus de l'escultor Clarà «té una piga tendra a l'anca esquerra» —una bala perduda la va tocar—, les parelles ja no han de cercar amagatalls per estimar-se. I veu en els coloms el símbol de la mort dels àngels, car ara són senzillament coloms.

Insisteix, amb verbs en futur, a donar una descripció de la ciutat nova en l'estrofa dotzena (versos 108 a 119) i de la mateixa manera intrahistòrica. «Sofriments», «tombes provisòries» i «les forces dures de la renaixença» al mig de la realitat geogràfica i el passat inamovible de la història. Amb els anys, sota les quatre barres, hi haurà l'himne triomfal que no serà altre que l'eco de la Revolució necessària, eco dels crits del moment que defineix amb dos versos que acaben amb el mateix mot: «esclats» que té doble significat: explosions i llums vives, intenses.

A la tretzena estrofa (versos 120 a 127), sense usar cap verb —constant de Pere Quart—, sense cap exaltació, fa de Barcelona el centre de la varietat dels Països Catalans i dels elements bàsics de la producció:

> *Màquines i collites.*
> *Tiges en estol,*
> *bestiar i aigües submisos.*

A la catorzena estrofa (versos 128 a 134) augura a Barcelona, amb la nota escèptica ja citada, «si vols», l'esdevenidor de «mestressa sobirana» i el de «capital altiva / d'una pàtria novella de rels velles», conscient de la seva soledat mentre és el símbol d'un món obert a mar i terra.

A l'estrofa quinzena (versos 135 a 143) el poeta dicta l'estratègia en forma de consells a Barcelona, que no interromprà fins al final. Al·ludeix amb humor a les accions revolucionàries : «... no et distraguessis / amb les fulles que el vent requisa als arbres» —les requises en nom de la Revolució eren nombroses i no sempre justificables—, i, pragmàticament, l'adverteix que no es faci il·lusions: «... no et distraguessis / ... / Ni amb el presagi de les ales noves», ales que eren això, solament un presagi.

A les estrofes finals, la setzena (vers 144), la dissetena (versos 145 i 146) i la divuitena (també de dos versos, el 147 i el 148), abunden, com ja he dit, els imperatius. Dos verbs són els únics mots de l'estrofa setzena: «Treballa. Calla.» A la dissetena la praxi que demana el poeta uneix el passat, el present i el futur: la història cal refer-la, és a dir, que Barcelona descobreixi l'ideal que amaga i que el posi en obra.

A la divuitena i darrera, un dístic decasíl·lab on amb l'única rima consonant del poema, el poeta li recomana que vigili per la causa, no dels fills desertors o dels fidels, sinó del fill que ha concebut. Sinècdoque que abraça el futur de tots els barcelonins, de tots els catalans.

El fracàs, almenys aparent, de la Revolució, el mateix 1937, molt abans que les tropes reaccionàries el consolidessin i la regressió de Barcelona a l'estat de «monja llamenca», poden ser les causes que aqueix «fill» hagi sortit ximple.

3. CONCLUSIONS SOBRE L'ODA A BARCELONA

En tot poema hi ha dos plans més o menys superposats, el de la descripció o narració i el de la manifestació ideològica de l'autor. És el de la descripció el que domina quantitativament a l'*Oda*, la qual comença com un romanço, en plena acció. Però el poema sencer consisteix essencialment en un monòleg del poeta adreçat a una Barcelona personalitzada. Tot explicant uns fets històrics que potser varen ocórrer en unes hores, exposa com era i com és ella, per on anava i cap on s'encaminava, i ho acompanya amb les reflexions que la clarividència li suggereix. La realitat és l'espectacle, ell se la mira i en fa una crítica positiva. Així veiem que el poeta, d'una banda, té en el text una actitud objectiva davant els esdeveniments: és el pla descriptiu. D'altra banda, en el pla de la manifestació ideològica, no hi ha dubte que el poeta simpatitza amb la nova Barcelona, s'identifica amb la Revolució i no vol que es deteriori. Quant a la forma del poema —i com tota forma, fonament de la ideologia— en fer poesia lliure trenca així també amb les estructures tradicionals, a excepció de l'estrofa final, com ja he dit, on produeix un dístic.

A tot això vull afegir que el llenguatge és elaborat però no culte, no hi ha cap referència a mites, ni clàssics ni religiosos, ni d'un passat històric en les versions de 1936 i 1937. Per tant ens trobem davant un poema que hauria pogut ser èpic, i, de fet, esdevé contraèpic perquè amb un tema «heroic» no hi surten ni herois ni glòria, sinó la descripció de la lluita pel típus d'existència que conté els valors més humans. Per tal d'explicar els valors que qualifico de contraèpics, cito com a contrast amb el contingut del poema de Pere Quart, dos passatges de l'*Oda a la Pàtria* de C. A. Jordana, publicada pel mateix temps: «el teu nom, Catalunya, que d'antigues / glòries té el regust» (versos 3 i 4), i «Zeus arriba a la platja / portant Europa lliure» (versos 186 i 187). Unes tals idees i imatges no escauen a la manera de poetitzar del nostre poeta, ni a la seva ideologia originalment «anarquista».[6]

Quant a l'al·lusió que he mencionat a un mite històric en les versions de durant la guerra, em sembla que és el canvi principal en comparació amb la versió de

6. Escric anarquista entre cometes per diferenciar-la de l'anarquisme militant, és a dir, en el sentit ampli de negació de l'autoritarisme.

1975, no perquè alteri la substància del poema sinó perquè ajusta la ideologia a la circumstància del moment. En la versió original els darrers versos d'una llarga estrofa [7] deien:

> Seràs si vols la capital altiva
> de la petita Rússia d'Occident
> U ERRA ESSA HAC
> «Unió de Repúbliques Socialistes
> Hispàniques».

Al seu lloc, i formant una sola estrofa, a la versió de 1975, hom pot llegir el passatge citat anteriorment on el poeta afirma que si Barcelona vol esdevindrà:

> ... la capital altiva
> d'una pàtria novella de rels velles,
> quasi feliç, penosament fecunda.
> Mestressa sobirana,
> sola en ton clos obert com una rosa
> dels vents, als vents de mar, de terra!

Observo, doncs, que de la descripció de la Barcelona del futur per mitjà d'un mite passa a una descripció merament tòpica, i que les úniques repeticions són la nota escèptica «si vols» i «la capital altiva», que s'ha d'entendre com a centre d'un progressisme forçat pel poble, d'aquí l'adjectiu «altiva». I la topicitat, subtilment modelada, permet que un lector actual pugui pensar encara en un tal futur per a Barcelona. Tanmateix en aquesta estrofa, i tampoc en cap moment del poema, Pere Quart no comparteix la ingenuïtat popular que George Orwell va assenyalar; enlloc no hi trobem mencionat el terme llibertat, cosa que ens confirma l'empirisme del poeta fins i tot en els seus productes amb cert caràcter circumstancial.

---

7. L'*Oda a Barcelona* de 1936 i 1937 es dividia en vuit estrofes (en divuit la de 1975) i tenia set versos menys.

Jo diria que ell ara creu que l'únic socialisme desitjable és l'autòcton, i aquesta, i no pas la màquina propagandística de la informació occidental, és la causa per la qual ha esborrat la imatge de la «petita Rússia», alhora que evita una suposada filiació política, car mai no ha pertangut a cap partit.[8]

I a propòsit de mites, vull aclarir el passatge «i ja tindràs l'himne triomfal / sota la bandera de la quàdruple flama». Aquí, com sovint fa amb els tòpics, utilitza dos mites per recalcar els fets tot desmitificant-los i conservant els termes amb què s'expressen: «himne triomfal» i «bandera de la quàdruple flama». Però no ens deixem enganyar, l'«himne» el constituirà l'eco dels «sospirs, gemecs, renecs, esclats / ...», és a dir, els fets revolucionaris del 36 i només el seu eco constituirà l'«himne», i no pas una lletra i una música preclares. Mentre que «la quàdruple flama», sí, és imatge de la bandera, però també de la destrucció inherent al canvi i, més precisament, dels incendis provocats, sense entelar la connotació de l'autoctonisme revolucionari, autoctonisme implicat per les quatre barres.

Deixo per a un estudi més específic de l'*Oda a Barcelona* un comentari sobre les altres variants. Ara, i a manera de resum, diré que la perspectiva de la Barcelona llibertària del poeta, i la del lector a través del text, coincideixen en unes imatges diferents de les del virtuosisme «noucentista». Són unes imatges més aviat automàtiques que descriuen el fet revolucionari «químicament pur», i que, ideològicament, en especial rera els consells imperatius, estratègics, dels versos finals, guarden un anhel de consolidar la nova Catalunya. És aquesta una actitud ètica de Pere Quart que integra

8. Pere Quart va donar suport als Nacionalistes d'Esquerra el 1980 i els va escriure una auca de propaganda. També defensà un pla cultural dels comunistes de Sabadell arran de les darreres eleccions generals. Però tot just retornat de Xile havia declarat: «El comunisme em plau força, el que em desplau són els *comunistes*.» Es referia a la seva experiència durant la nostra guerra i durant l'exili.

al lector en la voluntat de «somiar i refer la història» (versió 1975) o més anàrquicament «inventar-ne una» (versió de 1936), ben arrelada a la revolució.

L'autor ens mostra que ha renegat de l'esperit oligàrquic i burgès, que s'ha encarat sense restriccions a la circumstància que el rodeja i que ha pres una postura política i històrica, potser un xic escèptica però no gens ambigua, i, com anirem veient al llarg de la seva obra, sempre al costat dels perdedors. ¿No serà aquesta una condició *sine qua non* del poeta?

Tot plegat ha produït un poema automàtic —sense excés d'elaboració—, contraèpic —sense heroismes ni herois—, i empíric —centrat en l'experiència del passat, els fets del present i les possibilitats del futur. Concloc, doncs, que Pere Quart segueix una línia revolucionària, car durant aquest temps produeix l'únic poema seu d'integració històrica i estrictament constructiu. En tots els altres períodes de la seva vida, abans o després, combat i mina com pot l'ordre establert, polític, social, econòmic, i també literari, de les estructures anacròniques que han dominat constantment Catalunya.

1. CONSIDERACIONS HISTÒRICO-PERSONALS TOCANT A SALÓ DE TARDOR

El 1939 Pere Quart s'exilia amb la seva dona, Conxita Riera, a qui dedica el llibre *Saló de tardor* que és cronològicament el tercer recull de poesia que publica i que va aparèixer el 1947 a Santiago de Xile on aleshores residia,[1] i el 1949 a Barcelona, arran del seu retorn, edició amb variants —moltes d'elles motivades per la censura—; finalment, el 1963, en una edició definitiva. Aquesta és l'edició que seguiré aquí, en la seva versió de l'*Obra poètica* de 1975.

Amb l'exili la plena activitat literària de Pere Quart, i la seva motivació, van ser truncades. Durant la guerra d'agressió havia publicat, a més de la poesia mencionada, poemes solts que han passat a la història com a anònims, i d'altres que han estat recollits en edicions posteriors i en antologies, i que van sortir en revistes d'aquell temps. També havia estampat prosa i teatre —la seva comèdia *La fam* va estrenar-se el 1938—, i el seu treball quotidià incloïa traduir, promoure i corregir la producció d'altres escriptors. Tot això, durant els seus vuit anys a Santiago de Xile, tenia un sentit remot en un ambient aliè i restringit. Tanmateix no recula ideològicament, ans al contrari, i això repercutirà en la seva figura de poeta al llarg de la seva vida i constantment influirà en les noves generacions.

El fet és que han transcorregut deu anys entre *Bes-*

1. Va aparèixer en la col·lecció fundada pel mateix Pere Quart amb Xavier Benguerel «El pi de les tres branques», que va incloure llibres com *Elegies de Bierville* de Carles Riba.

tiari i *Saló de tardor*, i els vuit darrers el poeta, literàriament, més que viure, sobreviu:

> *Una esperança desfeta,*
> *una recança infinita.*[2]

No és estrany, doncs, que a *Saló de tardor* el poeta projecti, conscientment o inconscient, una panoràmica de tot el seu quefer poètic fins els quaranta-vuit anys que tenia llavors. D'aquesta manera es salva del naufragi i del silenci forçats. Retorna a la impremta embastant la història de la seva vocació, la de poeta. Però això sí, sempre parc, autoexigent. I tanmateix hi trobem una gran varietat de formes i de temes, i una dosi de lirisme subjectiu, un intimisme, que havia escondit en la seva obra anterior. I sobretot l'enyorança.

En llegir el pròleg de l'edició de 1949,[3] escrit pel seu primer jo, Joan Oliver, descobrim frases com «sota l'aparent sanitat dels versos circulen humors agres i corrosius», com també «l'afany de la impossible Bellesa és el mòbil suprem de la poesia de Pere Quart». Aquests dos extrems, que en ell no són contradictoris, mostren l'evolució del poeta a partir del «fracàs universal», tan evident al llarg dels anys quaranta, i mostren igualment per què la seva poesia no és divisible en períodes, i que enmig de la gran catàstrofe, ell, com a poeta, pragmàticament, es centra en si mateix amb totes les forces. No té altra sortida, incapaç de la claudicació que tants escolliren, si no vol enfonsar-se amb tot allò que per la força de les circumstàncies s'enfonsa. Sòbriament es referma de tres maneres:

Una, retornant al passat poètic noucentista. Així, el primer poema del llibre, «Lletra d'assassí per amor».

---

2. Vegeu «Corrandes d'exili», versos 33 i 34 a S. de T.
3. Vegeu Pere QUART, *Poesia*, Aymà, Barcelona, 1949. Al pròleg també es refereix a D. i a B. que s'inclouen abans de S. de T. que apareix sense títol i mancat de tres poemes per raons, com ja he dit, de censura: «Sant Jordi d'Amèrica», «Complanta de la Primavera» i «Tu».

Una altra, produint amb el material de l'impacte de la història en la seva vida, la del seu poble, la de tots els homes. Com el poema «Catalunya», escrit l'abril de 1939 a França.

La tercera, manifestant-se amb una lírica nova de caire intimista. Per exemple, «El somni».

Tot això dins el llarg procés d'invenció que li porten els seus poemes; com diu Joan Oliver: «el punt de partida resta sempre molt lluny del d'arribada».[4]

Amb l'aparició de *Saló de tardor*, títol irònic per la veritat tardorenca de l'edat del poeta i la falsedat de «saló», imatge de benestar i ordre contrària a la seva situació personal, afirmo que Pere Quart es salva, i en certa manera ens salva. Tan aviat com pot torna a Catalunya amb la seva mentalitat socialista, escèptica i antagonista, i amb aquest llibre que significa la continuïtat. Disposat com sigui a treballar literàriament, recomença la seva història que, guardades les proporcions, és la història de Catalunya i la història del món. Revolucionari sense cap tipus de plataforma és conscient que l'home no és l'amo de la vida, que és una ombra del destí contra el qual no es pot lluitar amb eficàcia. Per això, i davant el desastre català, es referma en la terra, segur que la seva presència i el seu treball insubmisos la poden beneficiar, encara que sigui mínimament.

Insisteixo sobre la situació personal de Pere Quart a la tornada de l'exili, tenint en compte la influència que també tindrà en el llibre següent que publicarà, *Terra de naufragis*: S'ha arriscat a tornar malgrat ser «*persona non grata*» a l'Espanya negra totpoderosa. La policia l'empresona i el deixen anar, després de dos mesos i mig de presó, sense judici ni cap explicació. La seva dona, Conxita, mor de leucèmia. Els suposats recursos econòmics de burgès i fill de terratinent, als quals ja havia renunciat durant la República, són pràcticament nuls. Viu amb la seva anciana mare i després

4. Vegeu Pere QUART, *ibidem*.

amb l'Eulàlia Serra, la seva segona muller i amb una filla. Ha de guanyar-se la vida com a escriptor a la Catalunya sotmesa al feixisme i castellanitzada. Les editorials malpaguen els col·laboradors. Algun ex-amic l'ajuda sense que ell li ho demani i troba una col·locació. I en això ha de recolzar-se en la seva classe d'origen perquè la seva capacitat professional no pot ensolcar-se en altre lloc —qui ignora que la literatura és una arma del poder? Allò que pot permetre's és una neutralitat aparent amb sous minsos i sense apartar-se ni un bri de la seva ideologia.

Com he dit, aquestes consideracions serveixen per a *Saló de tardor* i *Terra de naufragis*, però també per a tota l'obra posterior. La seva mentalitat revolucionària haurà d'aparèixer més o menys codificada per causa de la censura vigent, o per l'autocensura lírica, fins que ens la transmeti força obertament en el seu darrer llibre *Poesia empírica* (1982). No pot sorprendre, doncs, l'acolliment que trobà en un grup de joves universitaris ni que sectors de la burgesia intentin guanyar-se'l. Sovint aquests grups, socialitzants o elitistes, intel·lectuals o empresaris, li concedeixen premis i distincions, troben en l'estimació pública que suscita la seva obra i la seva personalitat una certa justificació.

No és el moment aquí de discutir aquests esdeveniments, el que sí ens interessa veure és si Pere Quart cau en la «trampa» o es conserva independent, i en el nostre cas, principalment, respecte a la seva poesia. No vull pas avançar una conclusió. Tot just som al començament de la tercera etapa de la seva vida,[5] la menys valorada pels crítics, la de l'activitat silent del treballador literari a contramarea.

5. Considero la primera etapa la burgesa i la segona la republicana. La quarta hom podria situar-la a partir de la publicació de *Vacances pagades* el 1960.

El tipus de poesia lírica amb passatges intimistes podria explicar-se pel canvi circumstancial de l'autor. Ara que en l'exili es troba limitat, obre les portes del seu tancament i permet que el lector penetri lleugerament en alguns dels fets personals i sentimentals que l'inspiren. Això no vol dir que la seva poesia deixi de ser molt elaborada i fins i tot, en alguns passatges, difícil, però amb els tocs d'ironia i amb les «caigudes líriques» manté constantment la seva poesia a l'altura de l'home, és a dir, en poetitzar no pretén deshumanitzar ni l'art ni allò humà que reflecteix.

No és estrany que *Saló de tardor* signifiqui un recomençar del poeta i el seu primer recull d'obriment subjectiu, si tenim en compte que va ser escrit a contra-ambient i a contrahistòria, un obriment que apareix entremig de poemes emmarcats dins el noucentisme, mentre al pròleg postula «la fallida del sobrerealisme» o afirma que l'art imita la natura per més que un Oscar Wilde digui el contrari.[6]

El llibre es divideix en cinc seccions sense títols, mentre que totes les poesies en porten. El tema de la primera secció és l'amor. És la primera i darrera vegada que un capítol de la seva obra poètica tracta exclusivament d'aquest tema. Conté sis poemes, quatre d'ells de caire noucentista, «Lletra d'assassí per amor», «País», «Mite» i «Bella i sola». Un és líric-subjectiu, «Nadal sense tu», i l'altre —«Infinita fortuna de la sang»— el va escriure per encàrrec del jurat dels jocs florals catalans de Santiago de Xile, i així pogué obtenir la flor natural, el 1943; li calien diners. Això explica que aquest darrer es ressenti ideològicament en ser en part tributari de la poesia de Josep Carner, tot

---

6. WILDE, Oscar, *The decay of lying*. Es tracta d'un diàleg a l'estil de Plató on un dels personatges, Vivian, diu: *«external Nature also imitates Art»* (la Natura exterior també imita l'Art). I al final es demostra que *«Nature is an imitation of Art»* (la Natura és una imitació de l'Art).

5.

i que és més modern d'intenció. Aquest tributarisme és impropi de Pere Quart, és una excepció que confirma la regla de la impossibilitat de trobar influències en les seves poesies i que si n'hi ha n'és conscient i les declara sempre.

«Infinita fortuna de la sang», per més artificiós que sigui, en el sentit de convencional, mostra naturalment algunes característiques del poeta que ens interessen. Mostra la seva habilitat tècnica de forçar-se a poetitzar en un to líric i sobre una ideologia d'aparença ortodoxa, al gust de floralistes i per raons econòmiques, tot descrivint la dicotomia de l'amor: físic i espiritual, temporal i etern, fecund i pecaminós, malaltia i remei, goig i servitud, i que acaba igual que comença, amb una variant que incloc entre parèntesis:

> *Infinita fortuna de la sang.*
> *Amor, aquesta vida (força) imperiosa*
> *que es refà, com la mar, en les tempestes.*[7]

Dins el convencionalisme fa la concessió de citar, en els seus sentits tradicionals, les paraules «Senyor» (vers 37), «Déu» (vers 56), els conceptes de les quals, en la seva obra, acostumen a voler dir l'atzar, a la manera dels clàssics, que parlaven dels déus i no hi creien. Per tant, tals termes i amb tals majúscules, escrits per un escèptic declarat, només poden entendre's com accidentals. Unes raons ben diferents motiven que aparegui «Déu», citat així en el poema dedicat a Lluís Companys.

A manera de contrast comento ara «Nadal sense tu», la primera poesia personal de la seva obra segons es dedueix del títol i dels primers versos:

---

7. La versió de 1975 encara diu «gràcia» en comptes de «vida» i «força». Ha estat el poeta en persona que m'ha indicat aquestes substitucions en els versos 65 i 2 respectivament.

Nadal sense tu.
Respirava la falsa tristesa dels cants i la dansa,
i en la càlida nit invertida
cercava l'estel de ningú
car aqueix fóra el meu.

Es permet obrir la primera escletxa del sentiment que després tancarà amb el refús de la soledat tot identificant-se irònicament amb Adam. Aquest poema el va escriure el Nadal de 1947 quan la seva dona havia vingut a Barcelona des de Xile per temptar el terreny. El «tu», que podria interpretar-se com una metàfora de Catalunya,[8] es refereix a Conxita, i si més no a l'amada, cosa que hom endevina pel caràcter autobiogràfic del monòleg, i a partir del vers 22 quan al «míser Adam» «ja li calen contigus uns llavis». D'altra banda el parallelisme metafòric del «tu» amb Catalunya es fa evident amb l'expulsió d'Adam del Paradís.

Dues són les novetats que presenta «Nadal sense tu». Una, l'aparició de l'autobiografia en la poesia de Pere Quart dins un recull. Originat possiblement en un poema solt —«Absència»—, que no va incloure en llibre fins l'*Obra poètica* de 1975, en la secció *Altres poemes*, «Nadal sense tu» no és òbviament intimista, l'amada es menciona solament en el títol i en el primer vers, i després el poeta es centra en si mateix. No així a «Absència» on l'amor de l'autor envers l'amada és l'únic protagonista. L'altra novetat és l'inici del tema de Nadal, que a *Saló de tardor* surt desenvolupat a «Ombres de pessebre», i altra vegada al poema a Francesc Macià, la mort del qual va coincidir amb el Nadal de 1933.

«Nadal sense tu» altrament insereix algunes de les constants que cal assenyalar. El recurs de la imatge bíblica, aquí d'Adam com a arquetipus de l'home nor-

8. Vegeu el comentari al sonet «Catalunya» titulat durant uns anys «Tu» per raons de censura.

mal,[9] rebaixa el to líric que mai no imposa al lector
—i això és una altra constant—, car el passatge poètic,
en aquest cas i sovint, és ambivalent. L'*oximoron* «bes
de foc humitejat», la constatació que el Nadal és a l'hi-
vern o a l'estiu, segons l'hemisferi, els llavis «contigus»
que Adam necessita, el comiat de la soledat, a l'estrofa
anterior, «sigues l'ombra marcida dels sants i dels sa-
vis!», i el darrer vers centrat en la seva nit amb lluna,
que per la forma sintàctica amb què ho diu i la con-
notació de metàfora tòpica, pot llegir-se com una nota
final autoirònica; tot plegat té aquesta ambivalència
que deia i que deixa al lector amb llibertat d'assimi-
lar-ho romànticament o irònica, o de les dues maneres
a la vegada que és com s'ha d'avaluar estrictament el
paràmetre d'aquest tipus de poesia.

I a propòsit de la lluna, crec que serveix d'exemple
de la diversitat de Pere Quart en utilitzar algunes imat-
ges. Ja he mencionat la Decapitació XIX on la descriu
com a «ànima en pena», «maridatge d'ala i neu»... Al
Bestiari la lluna enganya el «Rossinyol caduc». A *Saló
de tardor* és aquesta la primera vegada que la menciona
de nou vegades que surt: com a presó de l'aurora, en-
lleganyada, pudent com un formatge, fosa, a jóc, inerta,
plena com la nostra pena i morta a causa de les minves.
Com es pot observar, el poeta arranja la topicitat de la
imatge de la lluna segons el contingut del poema, i no
ho fa d'una forma arbitrària. Això és parallel al que
comentava del seu rebaixar el to líric, dramàtic i sen-
timental, a «Nadal sense tu», com la manera més fonda
d'expressar l'amor de l'home, per aquella ambivalència i
complexitat que no comuniquen els poetes de to mera-
ment elevat.

Estic tot just comentant la primera de les cinc sec-
cions de *Saló de tardor*, i abans de passar a les altres
voldria aclarir alguns punts de les poesies que resten:

9. Vegeu Joan OLIVER, *Allò que tal vegada s'esdevingué*, en
Teatre Original, Proa, 1977, per a una descripció més completa
d'Adam com a arquetipus, i prototipus, de l'home normal.

«Lletra d'assassí per amor» és un poema de tema sàdic, amb al·literacions, on el protagonista s'adreça a l'amada que ha occit al banc d'un parc (segona estrofa). Hi ha un paral·lelisme entre l'engany d'ell en reviure-la (primera estrofa) i l'engany dels metges en intentar revificar-la (tercera i última estança). «País» és potser el més eròtic de tots els poemes de Pere Quart: tot allò que es pot dir del fet amorós està condensat amb gran economia de mots i amb abundància de metàfores. El país és el cos de l'amada, l'acció passa a les fosques, i a l'encavallament final del «terratrèmol» que escomet a la dona, el sexe és descrit amb dues metàfores purament líriques: «l'illa més dolça, el més amat espai». El poeta aconsegueix un equilibri entre erotisme i amor. «Mite» és un poema simbolista que tracta de la bellesa femenina i del pas del temps. Tan real com la dona anciana és la imatge de quan era jove que roman al mirall. D'altra banda el subjecte de l'oració i la imatge finals és «la deixa del pecat». La doble ironia d'aquest mite es troba en el fet que la supervivència de l'ancianitat consisteix en la transgressió de les lleis de l'atzar, més que les del destí. Aquesta primera secció la clou «Bella i sola», un poemet de tipus oriental amb al·literacions i exquisidesa de so, el gir final del qual

> *Només la fosca la consola*
> *i saber-se somni de mi*

suggereix que l'amor humà és el fonament de l'existència.

3. *LA NOCTURNITAT I LA AMORALITAT DE* SALÓ DE TARDOR

Els set poemes de la segona secció formen una unitat dramàtica que és una contrapartida de la idea de l'amor. La vida s'ha transformat, per al poeta, en un existir nocturn, i àdhuc si la dona hi és present, i a vegades n'és la protagonista, encara ressalta més la foscor absoluta sense cap possibilitat que desperti l'alba. Tot plegat, un malson.

La lírica d'aquests poemes ha recorregut un llarg trajecte, des del món íntim de l'autor a l'objectivitat, i, a partir d'aquí, a una subjectivitat més o menys fantasiosa, la qual, avui, pot semblar el símbol de la seva circumstància personal pel triomf de la nit històrica, que ell primer preveu [10] i després li toca viure. La nocturnitat, aleshores, es torna un temps continu que recull el fracàs de l'esperit de renovació i és l'epicentre de la lírica «negra» de Pere Quart.

En el primer poema d'aquesta secció, «La dona de la nit alta», hi ha versos com «llenço la clau de l'alba» que són una renúncia a tota llum. La paraula «nit» surt mencionada set vegades. Les herbes, «que es vesteixen de verd en llevar-se», respiren fatigosament. Les esferes del cel són feres engabiades. El dia no existeix, és de fet la nit que somia, car «la fosca comanda». I el vers i estrofa finals, i irònics, «bona nit, nit alta» es pot interpretar com el propòsit ferm del poeta d'encarar-se a la nit que ho domina tot.

A «Nit final» l'obstinació de la foscor és absoluta. El poeta assenyala la misèria de l'home i la seva estupidesa: «mireu-nos l'orella gran», com la d'ase. La humanitat, autodestructora, ha perdut l'esperit vital, «put la tenebra estantissa» i «les mares martell en mà, vetllen infants de terrissa». El poeta s'havia adreçat als àngels —«torneu-nos el paradís»— però ara, amb una imatge surrealista, ens explica que tot era inútil:

> Els tres àngels de la nit
> juguen a cartes,
> perden les ales
> a la taverna dels dofins.

10. Els poemes d'aquesta secció, llevat de «Nit de ventall», foren publicats ja l'abril de 1938. Vegeu «Revista de Catalunya», Barcelona, núm. 85.

Per acabar amb un símil entre l'escuma negra del mar i la rialla d'un cec, i amb una nota d'humor dolgut: «de minves morí la lluna», de fet minva cada quinze dies, metàfora de la decadència catalana.

El darrer poema d'aquesta segona secció, «La intrusa», descriu un malson del poeta que s'adreça a una figura femenina, la imatge de la qual és d'un realisme oníric. El poema sobreabunda en imatges i conceptes nocturns i malignes, muda, nits, morta, tenebra, i la descripció d'ella, a qui, significativament, no reconeix:

> Qui ets? Ulls d'escurçó, boca desfeta,
> galtes d'infern i front mesquí.

Ella penetra els seus somnis, s'esmuny dins del llit del poeta i comanda les «ombres», les quals apareixen quatre cops acompanyant-la servilment. No repugna veure en ella la imatge d'una nova bruixa, opressora de l'*z* de l'*Oda a Barcelona*, i en les ombres les víctimes de la guerra fratricida que a partir de maig de 1937 es dóna per partida doble amb la repressió interior dels dissidents. L'empirisme de Pere Quart, fondament vulnerat pels esdeveniments, produeix aquestes seqüències de deliri i commina repetidament «la intrusa», als versos 8 i 26: «Tem l'alba amb sos mastins», que jo interpreto com l'esperit feixista, la destrucció dels guanys revolucionaris i la defensa brutal del món retrògrad. Amb aquest vers el poeta interromp la seva increpació a la intrusa, car l'estrofa final del poema, i de tota la secció consisteix en un parell de versos que expliquen com un fet natural la seva situació, el seu estat malaltís, i així manté l'aspecte dramàtic i esborra tota exaltació.

La diversitat de contingut i de forma dels poemes que serveix per equilibrar el dramatisme, es pot observar aquí en les tres altres composicions que completen la secció: «Ford T» que recorda *Un món feliç* d'Aldous Huxley, on l'automóbil il·lumina «els arbres amb panta-

71

lon blanc» i és «un cometa de cua invertida», però sense abandonar el tema central, «el buit de la nit sobtada», imatge que tots els conductors reconeixen. Els altres dos poemes, «Nit de ventall» i «Nit en el paravent d'una dama que seixanteja», sense perdre la nocturnitat són de tema vuitcentista tractat irònicament i a la moderna.

No és tanmateix aquesta secció l'única on sovintegen termes com «nit», «ombra», «somni», i per extensió el de la mort. Si el significat de manca de llum i el de manca de vida es corresponen, aquest darrer el trobarem a tot el recull. El terme «nit» apareix en vint-i-sis dels trenta-set poemes que componen el llibre, i allà on no s'anomena hi trobem el terme mateix de «mort» o el de «somni» o el d'«ombra». Encara més, en algun lloc la nit es sobreentén, com a «Bella i sola», o el tema és pròpiament de la mort, com a les tres «Darreries». Malgrat la varietat de temes i enfocaments, conscientment o inconscient, pel que fa al poeta, som davant el sofriment a causa de l'esfondrament de la revolució, que ell va fer seva, i de Catalunya, que és ell mateix.

Històricament, a mesura que passen els anys quaranta, el poeta només pot acollir-se a la letargia com a punt de partida d'un revifament. El seu empirisme escèptic no li permet il·lusionar-se, i tampoc desil·lusionar-se, respecte a la guerra externa i a la interna de Catalunya. Però dubta de l'home i per tal de compensar-ho acut a la natura en l'únic poema que no porta cap implicació negativa o positiva i que podria passar inadvertit per la seva simplicitat lírica, i per la seva situació al penúltim lloc de la secció tercera, constituïda per poemes de to humorístic, negre, o d'argument pintoresc. Em refereixo a «Epigrama» on recalca l'essencial saviesa de la natura com a funció vital. Aquest poema està escrit com una endevinalla que inclou la solució —«és l'arbre»— amb el qual assenyala més el símbol que la imatge de l'ésser que sàviament i automàtica segueix el cicle natural, el del seu món interior, que no falla mai. El lirisme resulta satíric si es compara la manera de fer de l'arbre amb la de l'home que malmet la seva sort.

A la tercera secció, d'altra banda, hom reprèn el fil del tema bíblic, iniciat a *Les decapitacions*, a «Darreria I». El poema, que tracta del passatge de Lot, és curt i, de nou, fidel al text de les Escriptures quant al fet, i no pas quant a la interpretació. La transformació de la dona de Lot en estàtua de sal és una imatge pictòrica i espectacular que ocupa la primera i la segona de les tres estrofes, i el primer vers de la darrera. Al vers 5 diu que ella va pensar, «set bíblica, set mortal!», és a dir, que la set bíblica és mortal, i per tant la set de coneixement és castigada brutalment per un déu desconegut. Després, la dona de Lot encara es defensa, escup saliva salada, és a dir, marina, plora i sua, i acaba cridant que té set, i es sobreentén que aleshores mor. A part la referència a la set, una altra interpretació heterodoxa és la manera com mor, segons el poeta, no per causa d'un instantani cop sobrenatural, sinó per l'efecte d'un fenomen natural. Fins aquí «Darreria I» és un exemple breu de poema dramàtic i líric, però encara resten tres versos entre parèntesis. Com un cor que canvia el to —la sorpresa final— el poeta explica sarcàsticament que avui la dona de Lot no tindria problema, es comportaria astutament, miraria enrera «per mitjà del mirallet». Aquesta consideració burlesca que el poeta afegeix a la catàstrofe dramàtica, dóna a l'absurditat sobrenatural del conte bíblic un simbolisme universal molt distint del que es va proposar l'hagiògraf.[11]

Pere Quart continua, doncs, en la línia antiautoritària i amoral. Aquest és un altre exemple de com, en la seva producció poètica, el material que empra són les coordenades d'espai i temps que corresponen a les for-

11. Vegeu una versió en prosa d'aquest poema i d'altres, a Joan OLIVER, *Biografia de Lot i altres proses*, Fontanella, Barcelona, 1963. És de notar que alguns dels seus poemes els va prosificar en castellà i aparegueren a «Destino» signats amb el pseudònim de Jonàs.

ces humanes. Dir, com han fet alguns crítics, que és un moralista, és el mateix que si diguéssim que és un surrealista o un líric o un humorista o un esteta. Seria una visió seccional de la seva poesia. Ell utilitza —com ja ha dit— tots els recursos que creu adequats, sense rebutjar-ne cap *a priori*, per tal de construir el poema. És més, respecte a la seva suposada moralitat, crec que amaga la amoralitat, és a dir, la seva convicció que no hi ha ni bé ni mal absoluts.

4. *LA HISTÒRIA I L'HOME A* SALÓ DE TARDOR

La quarta secció d'aquest recull tracta principalment de Catalunya, de la seva història recent, per si mateixa i en relació al poeta. És la secció més llarga del llibre, conté deu poemes [12] amb una varietat formal —de la cançó al sonet— i de contingut —un sant Jordi exiliat, el poeta i el no-res, la sang vessada i l'infant del pessebre, la mort de Companys, etc.— que evita la reiteració dins la unitat ideològica.

Avanço que en aquesta secció es manifesten inequívocament l'esperit revolucionari, l'empirisme, la lírica i el recurs de la ironia. Narra, descriu i suggereix i mai no oblida que el producte ha de ser, primer de tot, atraient, sigui quin sigui el material que el compon.

Si prenem els tres primers poemes —«Sant Jordi d'Amèrica», «Complanta de primavera» i «Catalunya»— podem ja constatar la diversitat d'arguments. El primer té per protagonista el suposat patró de Catalunya, sant Jordi, que s'ha exiliat, com tants d'altres «catalans». El

12. Els tres primers poemes foren impresos dins d'aquesta secció i recollits per primera vegada a *Obra de Pere Quart*, Fontanella, Barcelona, 1963. Igualment s'imprimiren a l'edició de 1975, *Obra poètica, op. cit.* Cal afegir ara que a aquesta quarta secció la poesia «Per Nadal» ha de portar la dedicatòria «A Francesc Macià», i la poesia «La veu i la sang» la dedicatòria «A Lluís Companys», segons l'autor.

segon al·ludeix l'abril de Catalunya sense Catalunya
—«sense senyals de rosa»— i està juxtaposat a l'anterior
per la relació tradicional entre la rosa i sant Jordi [13] i
pel fet de ser la nostàlgia dels desterrats el tema cen-
tral. El tercer, un dels seus rars sonets, és una síntesi
dramàtica dels altres dos i una mena d'apèndix de l'*Oda
a Barcelona*. El títol «Tu» —que tingué per raons de
censura— per si sol evoca l'ésser amat; el poeta perso-
nifica i parla a Catalunya, a l'inrevés de «País» que
evoca la terra i, de fet, es refereix a l'amada.

Els tres poemes descriuen la desfeta de 1939. Amb
ironia —sant Jordi «perdé el cavall en la contesa» o «ni
tu, que ho ets, ja no tens fe en els mites?»—, amb pate-
tisme —«renaixement de tota mala cosa, / jardí de Ca-
talunya sense senyals de rosa»— i amb lirisme —«la
volta de ton cel, com sempre blava, / sostre de tes
presons esdevinguda». Descriuen també l'Espanya re-
gressiva que domina sobre Catalunya, alhora que els
tres acaben amb una certa fe en el futur.[14] A «Sant
Jordi» llegim:

> *... la Força del Pecat cada vegada*
> *que sa victòria transitòria arrasa*
> *torres de pau, arbres tofuts...*

als versos 13 a 15, i als darrers:

> *En soledat restaura el seu coratge.*
> *S'alzina. I es persigna.*
> *I quan s'obre de braços és el signe*
> *de la creu on s'atarda Catalunya.*

---

13. És tradició catalana regalar als amics un llibre i una
rosa el dia de Sant Jordi, 23 d'abril.
14. Vull esmentar aquí com a paral·lelisme, dins la sobrie-
tat, el vers de Màrius Torres a «La ciutat llunyana»: «Pàtria,
guarda'ns: —la terra no sabrà mai mentir.» Vegeu M. TORRES,
Poesies, Ariel, Barcelona, 1964, quarta edició.

On aquest «s'atarda» ha d'entendre's pel seu significat precís d'insistència a romandre, i ara en el sofriment que la revitalitza. Cal observar que la terminologia cristiana té un valor especial pel fet de concordar amb la llegenda del protagonista.

A «Complanta de primavera» llegim:

> Oh falsa i miserable primavera
> on solament prospera
> el corc. I el llot. I la terrible nit
> de qui la llum ha esdevingut esclava;
> el llimac llefiscós de mala bava
> i el verinós i sadollat gripau.[15]

I als darrers

> Si el somni és bell, immarcescible i pur!
> I els somnis a vegades traeixen el futur.

Aquí, el «si» consecutiu del penúltim vers, referit a Catalunya, té quelcom d'irònic i escèptic, però «traeixen» és positiu, en el sentit de contrariar el futur previsible, i més encara, en català el verb «trair» també vol dir indicar allò que altrament seria difícil d'endevinar.

A «Catalunya» llegim:

> Sola, malalta, esparracada, muda,
> un altre cop, encara jove, esclava.

I als darrers versos:

> Com saba pacient sota l'escorça,
> més pura revindrà l'antiga força
> que ja es desvetlla d'amagat dels déus.

15. Gripau és una imatge físico-psíquica de Franco i el llimac és el símbol de les forces retrògrades i de llurs crims.

Recordo aquí l'absurditat del quefer dels déus a la De-capitació XXV, homes amb poder, llurs estirabots i llurs lleis inhumanes.

Aquest optimisme, no pas de somiador, es repeteix a altres poemes d'aquesta secció. La decisió del poeta de reconstruir Catalunya apareix al final d'«Alta mar»:

> Ànima meva desamada,
> reprèn l'afany ardent,
> més dura que l'onada
> si no tan alta com el vent.

Al poema sobre la «Voluptat de l'enyor» acaba profe-titzant equívocament la tornada, amb un sarcasme con-tra la burgesia aplicat a ell mateix:

> ... un dia, per ventura,
> honor refet i llar segura
> enyoraré l'enyor.

Altrament al darrer poema, a Lluís Companys, «La veu i la sang», el poeta resum el fet de la seva mort amb una escletxa d'esperança:

> En Déu finí, restà, recomençava
> frondosa veu, tempestejada sang.

«Déu» —el misteri—, aquí amb majúscula perquè desa-fia el Déu —també per a ells amb majúscula— dels qui l'assassinaren. I la paraula de Companys, que havia estat tan escoltada, també pels enemics, torna a ser fe-cunda en ser executat.

No hi ha dubte que, al marge de la meva interpreta-ció, a tots els passatges que he assenyalat, Pere Quart demostra una fe en el futur del seu país, d'una manera concisa i com una possibilitat. Encarant-se als esdeveni-ments i malgrat tot, l'esperit revolucionari equilibrat és el que preval en aquests poemes històrics.

En aquest panorama que dibuixa i que es podria

classificar d'intrahistòric, no manquen els personatges sacrificats per la guerra i pels victoriosos, i el que tot això significa. A «Sant Jordi» ja hem vist la victòria, que qualifica de transitòria, que «arrasa / torres de pau, arbres tofuts —i continua— on nien / innocència, beutat i confiança». A «Complanta» ja hem vist «la terrible nit / de qui la llum ha esdevingut esclava». I a «Catalunya» diu que un dia es veurà neta dels seus pecats «per tanta sang» —la sang de les ombres.

El tema es repeteix en altres passatges d'altres poemes, però a més li dedica tota una poesia, precisament de tema nadalenc i que porta el títol ben significatiu, si bé equívoc, d'«Ombres de pessebre». Sembla primer que es tracti d'un poema nostàlgic.[16] Tanmateix, immediatament que ens posem a llegir-lo ens adonem que hi ha quelcom rera la majoria d'imatges i tòpics que són de Nadal: la Neu, l'Estrella, l'Àngel de la Pau, els Reis, els Sagals, els Majorals, el Portal, l'Infant ros, la Mula i el Bou. Al primer quartet, dels nou que componen el poema, podem llegir:

> Nadal nevat de cendra,
> Estrella sense rel!
> La sang que ens varen prendre
> és un secret del cel.

El qual es repeteix al darrer quartet amb inversió dels dos dístics. Els tòpics presenten anomalies i el mateix passa a tots els altres quartets: qualcú, aixoplugant-se a l'ombra de l'Àngel de la Pau feia el mal fraudulentament; després van apareixent les ombres, que contrasten amb la fraudulenta i que són les «resquícies de cent crims», que lliguen amb la sang vessada del començament. El poeta interromp la narració-descripció per pensar en veu alta, entre l'horror i la ironia:

16. Joan Oliver conta que a Marsella, abans d'embarcar-se cap a Xile, la seva dona va comprar unes figures de pessebre. Vegeu Joan OLIVER, *Tros de paper*, Cinc d'Oros, Barcelona, 1970.

«no hi caben tants als llimbs». Són els infants sacrificats a causa de la suposada pau. El quartet cinquè, tot ell entre parèntesis, és una descripció ortodoxa i burleta de l'arribada dels adoradors i l'acompanyament de cants angèlics. Al quartet següent hi ha una altra anomalia: una de les ombres, «la més clara», que representa la «carn dallada» dels sacrificats, entra al portal on l'únic despert és l'infant, i —estrofa setena— a la palla del bressol hi «deixa una rosa viva / com un grumoll de sang» —imatge que coincideix amb el segon vers del poema a Companys on la sang del president «s'ha agrumollat en Déu». És indubtable que la metàfora «grumoll de sang» simbolitza les víctimes innocents de la guerra.

Al penúltim quartet el tòpic també està transformat: «la Mula diu al Bou: / Aquest nadó té febre: / sospira i es remou». La repetició del primer quartet al final subratlla la tragèdia de «la sang que ens varen prendre. Aquí el pessebre de Pere Quart és escandalosament l'antipessebre tradicional.

Les ombres són, efectivament, un dels personatges més destacats de *Saló de tardor*. Surten especialment mencionades al poema més dramàtic i intimista d'aquesta secció, «El freu», que està imprès després del més senzill aparentment i al qual vull referir-me primer. Es tracta de les «Corrandes d'exili». Aquestes cançonetes, malgrat la seva lleugeresa, són igualment dramàtiques i personals, i al costat de «El freu», ambdós poemes tornen a obrir un ampli paràmetre líric. Les «Corrandes» suggereixen una confiança en la terra, la qual és la permanència que l'«accident» home estima i fa seva:

> Perquè ens perdoni la guerra,
> que l'ensagna, que l'esguerra,
> abans de passar la ratlla,
> m'ajec i beso la terra
> i l'acarono amb l'espatlla.

«El freu» és distint, en el sentit que és estrictament més dramàtic; en la catàstrofe no hi ha cap escletxa d'esperança. Escrit en esclatar la segona Guerra Gran [17] és un poema pròpiament elegíac. Escrit en primera persona, comença preguntant sarcàsticament per l'alba de la pàtria —«país feliç»— i acaba exclamant que aquest blau del cel que l'uneix a Catalunya és un miratge que no es pot esborrar perquè és el no-res. El poeta se sent prop de la seva terra, d'aquí el títol «el freu», l'estret, i l'adverbi inicial, «encara», té el valor dicotòmic de continuïtat en el temps i de distància en l'espai. El «paorós camí» que mena al «país feliç» és la referència a la guerra internacional. L'aigua de l'estret, que intenta travessar peu nu i amb una barca que fa aigües —és a dir, que ell flaqueja, vacil·la—, està tenyida de sang, la sang de les víctimes innombrables.

> dels qui sofriren sense pensament
> d'amor ni d'odi la darrera pena,
> guerrers de rostre blanc
> entre l'atzar i l'espavent,
> només amb l'arma del lament.

La tercera estrofa de sis versos és una oració on es sobreentenen el subjecte i el verb principals, «jo estic» o «jo passo». Al poema llegim «Tota la nit dintre mos ulls oberts», i a continuació vuit complements, car els ulls els té oberts a una diversitat d'imatges avitals que s'acumulen fins esdevenir la foscor absoluta, i de la foscor a la mort, «a nova mort damnada» que uneix les víctimes de la guerra d'agressió, i de les execucions sumàries de la postguerra, a les de la nova guerra que comença. La penúltima estrofa repeteix la imatge de les «Ombres de pessebre» i l'adjectiu, ara en plural, «clares»:

---

17. A Pere QUART, *Antologia*, Proa, Barcelona, 1980, aquest poema porta la data de setembre de 1939, i a Pere QUART, *Obra poètica*, *op. cit.*, la de 1940.

Les ombres moren i reculen vers
l'ombra les clares vides.

Fins i tot les vides individuals lluminoses retrocedeixen vers l'ombra. La negror triomfa.

L'estrofa final clou el poema en forma de cercle en mencionar les albes del primer vers al blau del cel que existeix «només en les humanes crides», blau que és indeleble i suau com el no-res. El monòleg dramàtic i personal s'havia interromput. El jo resta oblidat en el seu darrer lament.

5. *LA LÍRICA I LA IDEOLOGIA DE* SALÓ DE TARDOR. *CONCLUSIÓ*

La secció cinquena i última és, amb la primera, la més curta. Conté igualment sis poemes, però aquests del final són d'una culminació lírica allunyada del noucentisme objectiu. Els principis del producte artificial, el goig de la bellesa i del joc dels sons, de les imatges i dels conceptes, i el flux i el reflux dins la unitat del poema, Pere Quart no els abandona mai. Però hi ha quelcom més: al centre del poema, junt a l'home que és ell mateix, hi ha la novetat de la història del drama humà, des de la infància fins a la previsible mort, amb un contingut existencial.

Ara bé, aquesta nova manera d'elaborar menys objectiva, sense distanciar-se plenament del poema, i allà on intenta evitar l'anecdotisme, produeix alguns passatges lírics que poden semblar hermètics a qui no conegui la seva poesia anterior. En tot cas allò que és comú a tots els poemes és una ideologia revolucionària forçada a vegades a la letargia.

En l'únic poema en què es menciona literalment la «guerra civil» és en el tercer d'aquesta secció, «Infants», i ja veurem el motiu. Compost de vuit dístics d'art major, el text, que tot ell és una descripció dels protagonistes, està escrit amb plurals o amb sinècdoques, i aquestes generalitzacions van precisant la imatge del «pare de l'home», l'infant.[18] La seva originalitat consisteix a passar d'allò universal a allò particular sense perdre cap dels dos caràcters. L'ús de generalitzacions d'imatge i de concepte, poèticament, és una manera arriscada de producció, car és més difícil aguantar l'equilibri del poema. Més encara, no conec en la literatura occidental una descripció tan breu i completa de la infància —«la vida ran de pols i les mirades altes», i

> porucs de nit deserta; impàvids assassins
> de roses i libèl·lules; mercaders d'afalacs,
> de dolçor viciosos i de llet embriacs—

i de la seva lluita pel poder:

> les llàgrimes sonores i arteres i abundants,
> les armes de llur guerra civil contra els gegants.

Apunto que el tema de la infància, i en aquell cas amb un fet ben particular, ja va aparèixer a la decapitació V. Mentre que aquí el tema del «pare de l'home», encara que sembli que no encaixa en la secció, no sorprèn, vist que els principals protagonistes són el poeta mateix i la persona humana, car és un recórrer al passat que explica les característiques existencials de la temporalitat. Un dels versos, el 4, i part del 5, lliguen quasi literalment amb la substància dels altres cinc poemes de la secció: «infidels com el temps, sobtosos com la sort / (o com la mort)», el qual, a part del context descriptiu dels infants, afirma que, per a l'home, el temps és infidel i la sort imprevista.

18. «L'infant és el pare de l'home», diu Pere Quart. Vegeu Joan OLIVER, Tros de paper, op.cit. La gènesi literària d'aquesta idea s'atribueix al poeta anglès William Wordsworth (1770-1850). Pere Quart la millora en un altre lloc dient: «l'home és el fill pòstum de l'infant», vegeu Joan OLIVER, Biografia de Lot i altres proses, op. cit.

Tots els altres poemes, sense mencionar pel seu nom la guerra espanyola ni la internacional, ambdues igualment fratricides per a un revolucionari, les evoquen intensament. La nit continua essent la constant del moment temporal, amb l'engany, la destrucció i la mort. La bellesa del producte artificiós asserena el determinisme de fons i l'escepticisme envers el futur, i, tot i així, obre la possibilitat d'un punt de partida paradoxalment positiu. La base substancial, quasi apocalíptica, d'aquests poemes s'equilibra doncs amb la forta unitat lírica de cadascun d'ells.

A «L'àngel» apareix evocada, a la segona estrofa, la Guerra Gran i les seves conseqüències:

Ja és un eco només la cridòria de folls
que emplenava la vall i la mar sense fita;
i espargida en el temps, que es refà dels trontolls
hi ha la cendra rogent d'una mort infinita.

L'eco de què parlava a l'*Oda a Barcelona* com a himne del futur, repeteix «sense fita» la follia, i en el temps, com en l'espai —les seves coordenades— campa la mort. Tant la «cridòria» com la «cendra» es pot dir que són imatges apocalíptiques, alhora que hi ha una subtil referència al fènix en el roig de la cendra.

A «Fragments d'un retaule»[19] diu: «destí maligne de vida que es malversa» i «el naufragi estòlid on tant d'horror s'esmerça», i fa una referència concreta i temporal a les guerres, «la dècada damnada féu sembra de deixies», on és evident que al·ludeix al període que va de l'any 1936 al 1945.

A «El somni» llegim:

en el lament quin paorós eixut,
mentre retornen a les nits primeres
les albes que en la fe s'han corromput.

19. Vegeu una versió en prosa d'aquest poema a Joan OLIVER, *Biografia de Lot i altres proses, op. cit.*

És aquesta una proposició nova sobre el temps. «Les albes» —l'esperit revolucionari, descrit complexament, corromput en la fe, no per la fe— retrocedeixen, de la mateixa manera que deia en «El freu», «reculen vers / l'ombra les clares vides», i més endavant dirà, a «Enrera», «l'avenir ja recula». Aquesta visió del temps, original de Pere Quart, és un recurs líric que apareixerà en poemes futurs.

En aquest darrer poema, «Enrera», un sonet alexandrí, hom ja troba l'evocació de la guerra al primer quartet:

> Enrera hi ha una tofa de bàrbara bellesa,
> els àmbits tenebrosos del temps espesseït
> d'ombres certes, estàtues d'impalpable granit,
> nàufrags immunes. Tomba d'eternitat malmesa.

Que ve a ser una conclusió al recull de César Vallejo, *España, aparta de mí este cáliz*, i en concret al seu vers: «*¡Muerte y pasión de paz, las populares!*»[20]

A l'«Epíleg» el poeta clou el llibre enfocant la catàstrofe des de la seva existència. Aquest egocentrisme explícit, saba del seu lirisme, posa punt i final al llarg poema que considero que és tot el llibre. Als versos 7 i 8, tot parlant d'ell mateix en tercera persona perquè es mira al mirall, diu:

> quin país a destemps, quina figura
> d'un déu mortal que no sabé morir!

Ell és un microcosmos —«país a destemps»— de la Catalunya i del món condemnats, i, per tant, és un «déu mortal» que no ha sabut integrar-se en la destrucció. Mentre que en la primera estrofa dubta de la validesa del seu vers, a la segona dubta de la validesa de la seva vida, per acabar a la tercera part, com el seu camí, i reconeixent la seva impotència, la de l'home: «La font

---

20. VALLEJO, César, *España, aparta de mí este cáliz*, 1939.

nocturna… / com un secret mormola el meu destí.» Però davant aquest determinisme, Pere Quart deixa una porta oberta a una continuació renovadora, car «a destemps», a més del sentit irònic d'inoportú, significa que algun dia arribarà el seu «temps». I, a propòsit d'això, al sonet ja citat, «Enrera», junt a aquella ironia del futur reculant vers el present com un dolç anyell, la mort també avança enrera cap a una altra font, la «desapresa», és a dir, oblidada després d'haver-la conegut, però al cap i a la fi coneguda, que és l'experiència existencial amb la imatge de la «font» que representa la vida.

El determinisme de l'avenir i la nit del present s'uneixen a les ombres, a les víctimes, i als ecos revolucionaris del passat.[21] La vida impertorbable continua en la fosca —amb la seva «font nocturna» i «desapresa» que coneix el destí del poeta, i, per tant, de l'home. És aquesta l'única manera com un líric empirista podia cloure un llibre l'any 1947.

En conjunt anoto que a *Saló de tardor* —títol que ara cobra més mordacitat— hi ha una riquesa de construcció a vegades més difícil de seguir que als dos primers reculls, i en algunes composicions dins la línia neonoucentista; però la «dècada damnada» l'ha marcat per sempre; en comptes de portar la contraliteratura i la contrapoesia a les últimes conseqüències, ha tornat a començar tot ampliant la dimensió humana de la seva lírica. Una escala de valors clara, pròpia d'un poeta lúcid d'aquell temps, l'ha obligat a no autodestruir-se poèticament, cosa possible, aquesta autodestrucció, en una cultura normal o dominant.[22] Per salvar-se, i, d'alguna manera, salvar Catalunya, el nostre poeta hagué de renunciar a l'extrema revolució estructural que es

21. Que ara corresponen a la catàstrofe, «els ecos —diu a "Enrera"— a penes són un tempteig del crit». Per tant, l'eco-himne triomfal de l'*Oda a Barcelona* també era a destemps.
22. Alguns exemples són: T. S. Eliot que no va arribar a decidir-se; J. P. Sartre teòricament sí, i Samuel Beckett que és qui més s'ha aproximat a la pràctica.

podia esperar d'ell arran de la seva poesia de preguerra.

A *Saló de tardor* trobem part de les estructures del seu passat poètic, la majoria de mètrica clàssica i rima consonant, i alguns poemes d'aparent frivolitat i carregats d'ironia; alhora, en tot el recull hi ha una varietat de recursos, entre el pessimisme i l'esperança, amb una estètica que respira un to humà nou. Molts dels seus poemes ja no són merament una pintura o un monòleg artísticament tancats, sinó que projecten un diàleg —gairebé constantment xifrat— cap al lector. Pere Quart ha iniciat el llarg camí d'una lírica menys restringida, on a més de tota una ideologia hi cap un cert intimisme que obrirà portes i donarà veus a certs silencis.

Això no vol dir que abandoni un dels elements fonamentals del producte poètic, allò que el cohesiona des de la base, és a dir, el silenci líric que contribueix molt especialment a l'estètica del poema. El silenci líric és, evidentment, tot allò que no menciona pel seu nom. Així, Pere Quart, no ha anomenat la revolució, ni la guerra entre els homes, ni Catalunya, com tampoc la concreció de les seves coordenades personals d'espai i temps, és a dir, els amors, els desitjos, els sentiments, les emocions, les creences, les idees i els valors. No és estrany, doncs, que per copsar la seva ideologia sigui imprescindible entendre les formalitats de la seva lírica.

V. «Terra de naufragis»

1. ALLÒ QUE NO VA VEURE LA CRÍTICA

El que acabo de dir al capítol anterior és el pont que comunica amb *Terra de naufragis*. Si un poeta, per principi, és un espectador «callat», en el cas de Pere Quart això es dóna de manera extrema.[1] Ho hem vist a propòsit de la Revolució i la Guerra espanyola, on, Barcelona primer i la nit més tard, van ser el centre del material de la seva poesia. Després eliminà gran nombre d'imatges i d'idees que ell tenia ben presents.[2] Ho hem vist a *Saló de tardor* on l'anècdota personal no abunda i el poeta, per si mateix, només esdevé material líric al darrer poema. Pere Quart, en l'obra poètica que reconeix com a seva, almenys fins avui, posa sempre en primer terme la unitat del producte, la tècnica amb què l'elabora, i l'equilibri i la bellesa finals; és per aquesta raó que molts passatges anecdòtics els ha transformats o els ha bandejats, i qui el llegeix, primer de tot descobreix l'obra d'art amb les característiques inconfusibles de l'autor, per després descobrir la intercomunicació entre la superfície i el fons.

1. L'única excepció es pot trobar al seu darrer recull, *Poesia empírica, op. cit.*, però d'això ja en parlaré al seu lloc.
2. Parlant en general, un professional de la poesia compromès amb el seu poble, en certs moments escriu anònimament, no per aportar el seu món poètic, sinó per interpretar urgentment els sentiments i els ideals populars. D'aquesta manera Pere Quart ha escrit diverses poesies que mai no ha volgut publicar dins la seva obra poètica, perquè són completament circumstancials. Al lector curiós l'adreço a les *Cançons de carrer*, publicades a Pere QUART, *Obra poètica, op. cit.*, que són les que el poeta, al capdavall, ha reconegut; i a *La fi del cagalàstics*, a cura de Joan Creixell, La Magrana, Barcelona, 1980, on el recopilador insinua la possibilitat que alguns dels poemes recollits siguin de Pere Quart.

D'això n'hauré de parlar especialment en iniciar el comentari de *Vacances pagades* (1959), recull qualificat unànimement pels crítics com a pertanyent al «realisme històric» i que cronològicament segueix el que comento ara, *Terra de naufragis*, que de cap manera no es pot dir que pertanyi al tipus de poesia social.[3] A *Terra de naufragis*, però, trobo ja concretada la poesia més original i universal de l'obra del poeta, i una poesia així sempre té una connotació social, en el sentit més ampli del mot.

Aquesta originalitat i universalitat no han estat mai assenyalades pels crítics per una raó ben senzilla: el recull enganya, sembla, llegit superficialment, el menys revolucionari de Pere Quart, i parlar d'un llibre així com d'un pas endavant en la seva evolució poètica, costa de veure i és un risc. I dic «sembla el menys revolucionari», convençut que podré demostrar que és una mera aparença a causa dels silencis i els suggeriments lírics.

Amb aquest preàmbul m'introdueixo a *Terra de naufragis*[4] sense oblidar la diferència que hi ha entre ideologia i poesia revolucionàries, tot assenyalant que van molt més juntes del que normalment hom creu.[5]

El llibre es divideix en dues seccions. La primera es titula *Cinc nadales* i la segona porta el mateix títol

---

3. Trobo més exacte aquest adjectiu, «social», que no el de «civil» que per motius diversos es va posar de moda.

4. És per una qüestió d'extensió que no em paro a analitzar l'*Epístola d'alta mar*, escrita a la manera d'un romanço, plena d'humor, i que tracta del viatge de tornada de Pere Quart, des de Xile i a bord del Vinland, el 1948.

5. T. S. Eliot i Ezra Pound són exemples de revolucionaris de la poesia, encara que ideològicament eren conservadors. Això és el que els crítics diuen. Jo crec que hi ha una tendència a pensar que l'evolució culta i seccional de la poesia és un quefer revolucionari. Avui dia ja és evident que el terme «revolució» aplicat a una tècnica, ha d'anar acompanyat d'una ideologia similar, car «revolució» significa, per damunt de tot, avançar-se en el temps. Aleshores Eliot i Pound han estat uns innovadors, però amb unes limitacions que no tingueren ni Ramon Llull ni Ausiàs March ni Baudelaire.

del recull sencer. Pere Quart el dedica, o, millor, el posa sota l'advocació de quatre poetes catalans morts prematurament.[6] Malgrat el to irònic, que sempre manté davant possibles mitificacions —«per sempre joves, alats i sagrats ja del tot»— i la falsa humilitat que conscientment, i per tant també irònicament, projecta —«poso els meus miserables versos...»—, si saltem d'aquí a la darrera paraula del llibre, «desterra!», percebem la línia unitària que el guia, car «desterrar», pel context del poema que clou, cal entendre'l com una imatge de la resurrecció, i pel seu significat de «treure de la terra» com un antònim de soterrar.

Els dos versos finals, que inclouen aquests verbs, pertanyen al poema «Elegia», el plany per la mort d'una fulla d'arbre, un dels éssers més comuns:

que soterra —o el llamp que desterra![7]
La columna infinita, massissa

que pot interpretar-se com una metàfora de la història que soterra l'home, mentre una força, encara no dominada per aquest, és la imatge d'una possible resurrecció.

Doncs bé, a la referència a la fulla s'uneix la del nom dels poetes «soterrats», morts, els quals, desmitificats, es transformen en meres fulles de l'arbre de l'existència, i, per tant, poden ser desterrats. I alhora, com a éssers humans, i col·legues són motiu d'inspiració de la Terra de naufragis de la qual formen part.

El títol d'aquest recull indica un lloc, com Saló de tardor, però, a diferència d'aquest, extern i molt més ampli, que pot evocar Catalunya, o el món sencer, dissemblantment a «decapitació» que expressa un fet, o a

6. Joaquim Folguera (1893-1919). Joan Salvat-Papasseit (1894-1924). Bartomeu Rosselló-Pòrcel (1913-1938). Màrius Torres (1910-1942).
7. Pere Quart detesta el mot «massiu-va», un gal·licisme que ens ha vingut a través de Madrid, posat avui de moda, i insisteix en la validesa de l'adjectiu «massís-sa», també en sentit figurat.

«bestiari» que indica un tractat. I el lloc que encercla és, evidentment, on l'home acaba submergit. D'aquí el títol, d'aquí l'advocació als joves poetes extints i l'elegia final. Som davant la història i la geografia com a essencialitat, en poesia, de l'home.

Aquesta essencialitat, que és la nostra vida mortal, la centra a la primera secció en el «pessebre» i allò que representa. El Crist infant, per primera vegada com a part substancial del tema de l'home en la seva poesia, explica el títol de *Cinc nadales*, totes cinc de base folklòrica i crítiques.

A la segona secció els personatges principals són uns altres. El poeta n'és el principal protagonista. Els altres: una model, un mariner, el botxí, els joves amants, la infermera, la dona, Noè, que constitueixen el material divers del poeta espectador, però als quatre poemes finals, immediatament anteriors a l'elegia a la fulla, la seva lírica retorna a l'intimisme —«Cançó», «La cita», «Ossada meva» i «Primer, segona»— amb assumptes esparsos: la vida-somni, el traspàs de l'amada, el bastiment del cos com a penyora de la mort i la projecció metafòrica vers el passat del seu habitacle.

La crítica es va mig desentendre d'aquest recull. La raó és ben senzilla: perquè li sembla religiós, en el sentit equívoc i regressiu d'aquest mot, a qui el llegeix amb prejudicis contraris o favorables, en comptes de valorar simplement la incisió del personatge del Crist en la història, la qual, tant si s'entén d'una manera com d'una altra, és un fet.[8] I aquest fet —per més que s'hagi usat i s'usi contra el mateix home— històricament i popular representa una esperança en allò que tant pot ésser una altra vida com una revolució, ara ja amb caràcter terrenal.

La imatge depriment i inútil de l'existència, con-

8. A llegir-lo amb prejudicis va contribuir el desafortunat pròleg de Joan Teixidor a la primera edició. (Vegeu l'apartat 3 d'aquest capítol.) És clar que això no pot excusar la miopia de cap crític.

dueix l'home a creure, dins la seva capacitat mental, o
bé en un món sobrenatural o bé en el no-res. El poeta
empíric no pot romandre en l'angoixa existencialista,[9]
i avui, lliure de prejudicis, recalca l'experiència perso-
nal d'espectador i protagonista d'aquesta dicotomia, i
ensems la depura fent material poètic dels fets que
més commouen i il·luminen l'home. Així, Pere Quart,
ara ens descobreix encara més les arrels del seu món
personal, sempre per mitjà de la lírica més estricta, i
sense abandonar la narració, els aforismes, el prosaisme
i la ironia, tot suggerint intermitentment el moll de la
tragicomèdia humana.

Amb tot això no oblidem que som a mitjan decenni
dels cinquanta, i a Catalunya, on cada cop és més evi-
dent la impossibilitat d'un canvi, sobretot radical i
autèntic.

2. L'AGNOSTICISME CRISTIÀ
A TERRA DE NAUFRAGIS

La poesia és l'art que amb major economia pot ex-
pressar la més àmplia gradació sensorial i racional, i
també el que pot aproximar-se millor, valgui la parado-
xa, als terrenys inefables. Sota aquest prisma cal lle-
gir els poemes de *Terra de naufragis*.

En aquest recull trobem poesia lliure, forma que
Pere Quart més aviat utilitza per als poemes lírics i
personals, i de format clàssic per als més descriptius i
narratius. Així, entre aquests darrers hom pot citar el
primer poema —«Borrissol d'àngel»— que és d'un li-
risme descriptiu i ingenu. Mentre que el ja mencionat,
i últim del llibre —«Elegia»—, que suggereix una fe
individual, és de forma lliure. El poeta evidencia, pot-

9. Søren Kierkegaard (1813-1855), més poeta que filòsof, fou
sempre un empirista que no va superar —o no va voler supe-
rar— allò que per a ell era l'absurditat de la relació Déu-Home,
i ens va deixar l'angoixa per herència.

ser instintivament, que la forma depèn del contingut i que el contingut de cada poema —i de cap de les maneres un prejudici artístic— determina la forma que li escau segons el cas.

La novetat temàtica del Crist infant m'obliga, com a comentarista, a parar-me amb algun deteniment en les *Cinc nadales*, cosa profitosa si tenim en compte que el cristianisme, com a material poètic, es reproduirà en els reculls subsegüents.

No crec que m'aventuri massa si dic que aquesta secció no és una crítica del cristianisme o de la religió, en el sentit etimològic d'aquestes paraules,[10] sinó una valoració d'allò que pròpiament signifiquen, una valoració de l'actitud de l'home envers el misteri de la vida, que produeix uns models de comportament individual i collectiu que ens lliguen[11] a tots, car moltes societats —per raons que cal saber però que no és el moment d'enunciar— han basat i basen llur existència en el Crist, personatge històric «extraordinari». Així, concretament la nostra societat, ha evolucionat al voltant d'aquesta figura, i, per tant, al poeta l'obsessiona allò que un tal fet pot representar, i alhora que reconstrueix la visió popular de la infància de Jesús, assenyala les contradiccions, i la falsia i deshumanització que les religions oficials han fabricat sobre el personatge. Ara bé, aquesta crítica que el poema conté és com un embolcall sota el qual podem sentir sovint la lleu «font nocturna» de l'«Epíleg» de *Saló de tardor*, que ara mormola el misteri —no solament cristià— que uneix a tots els homes.

En el primer poema —«Borrissol d'àngel»— aparei-

10. Només puc estar d'acord amb J. M. Castellet —vegeu FERRATER i MORA, i altres, *De Joan Oliver a Pere Quart*, Edicions 62, Barcelona, 1969— quan diu: «hi ha més: un cristianisme crític, que trobàvem ja a *Terra de naufragis*...», si és que entén per cristianisme el vaticanisme o qualsevol altra variant, com a confessions establertes i autoritàries.

11. El terme «religió» prové del llatí *religare* que vol dir amarrar.

xen la ingenuïtat i la tendresa, pròpies de la infància ideal. Aquí el poeta les reprodueix amb una forma clàssica —quartets de versos alternats hexa i tetrasil·làbics, i amb rima consonant— d'un lirisme candorós, la dedicatòria «a mossèn Verdaguer», poeta que va produir nombrosos poemes d'aquest estil, on la fe cristiana i la innocència són la base ideològica. Si bé és veritat que expressions de Pere Quart com «més tendre» (versos 1 i 21) i «no gaire» (vers 11) denoten un humor que no és verdaguerià, seria excessiu pretendre que incolouen un propòsit irònic. El delicat lirisme del poema sencer em sembla com un rebedor des d'on ens endinsarem en les complexitats de les creences cristianes. Suggereix una vida senzilla, «volar llis», i una possible beatitud —el lloc de l'acció és el paradís— que Pompeu Fabra defineix com a «felicitat perfecta, tranquil·la, aquí baix a la terra». Aquesta beatitud, Pere Quart, la mencionarà de nou al llarg de tota la seva obra. Al darrer recull diu adreçant-se al «Senyor» (a un possible ésser superior):

> Atureu la carrera, el curs, el Temps,
> occiu la Mort i no acreixeu la Vida!
> Eternitat és goig en quietud,
> és Bellesa perfecta, imperfectible![12]

El títol de la segona nadala també és una imatge —«Pessebre crític»— que indica que la representació tradicional del naixement del Crist canviarà de sentit, que és allò que significa l'adjectiu «crític», que ve de crisi, mutació. Sota aquest apreuament el poeta es permet de barrejar una visió fidel, contrateològica i contrahistòrica a la vegada, amb un llenguatge popular però depurat, i amb una mètrica, ritme i rima clàssics.

Obre el poema una tornada que passa d'una descripció dels pastors:

12. Vegeu «Cant d'un home» a *Poesia empírica, op. cit.*

> *Els pastors senten el vent*
> *mes no saben el torrent.*

a convertir-se, a partir de la primera estrofa en exhortació:

> *Qui senti el vent*
> *cerqui el torrent!*

Dels cinc quartets que el componen, quatre i el primer vers del cinquè descriuen els personatges del Pessebre, fent èmfasi en algunes absurditats a nivell històric: un déu ploraner, uns pares meravellats del tràfec angèlic i del fet que cantin en llatí, un pare que només fa de «comparsa» i una mare verge amb recança d'haver parit un fill incestuós car ella es té per filla de Déu. Una de les claus de la descripció es troba en la paraula «Déu». Surt sis vegades, quatre d'elles significant l'Infant i les altres dues significant Jahvè. Primer en una expressió feta —«valga'm Déu»— que reforça la ironia, per si mateixa i perquè ho diu el pare putatiu de la criatura. Després, en referir-se a les aprensions incestuoses de la Mare i filla de Déu.

Al darrer quartet succeeix un canvi inesperat. Comença citant els «Reis», i sembla que el poema acabarà amb una descripció fidel i antinòmica, però no és així. Els mags passen a simbolitzar tres pobles històrics en tres versos —els finals— monomembres:

> *Els tres Reis a camell pel sorral,*
> *Palestins que barquegen encara,*
> *Gent de Roma a l'aguait d'un Senyal,*
> *Catalans que la història prepara...*

Constata així llur presència, com a seguidors de l'estel, en l'evolució humana. Els palestins encara eren pescadors, els romans pressentien el cristianisme, quant als catalans hi ha una esperança en l'ambigüitat de la imatge i en els punts suspensius, i també en el fet que aquest vers clou el poema, en comptes de la repetició de la tornada. El poema, doncs, en conjunt, cerca la genuïnitat tergiversant els valors teològics i històrics.

«Complanta de Nadal» es centra en el contrast entre l'engany de l'home i la gratuïtat de la beatitud:

> el somni que ens ve de l'Edèn
> i que sempre ens enganya,

ensems que formula tres peticions en un llarg monòleg adreçat a l'«Infant».

La primera petició, a la quarta estrofa, on utilitza imatges ortodoxes com «Messies», «Paraula», «Creu», «Sang», «Gràcia», «Do», és: «Tu pots retornar-nos al Jardí», però no de la manera que els exegetes diuen, sinó «per la drecera sense paranys ni proves».

La segona és igualment diàfana:

> ¿per què no ens ungeixes, com per joc,
> amb les mels eternes
> de la teva Innocència?

La beatitud que he assenyalat a «Borrissol d'àngel», és per a Pere Quart l'única solució, i la ironia del text consisteix en el fet de demanar-la. A més a més, el seu empirisme refusa les actituds ascètico-místiques que recorren a les vies, retortes i morboses, purgativa i il·luminativa, per assolir la benaventurança eterna, car haurien de ser innecessàries davant un Déu-Infant totpoderós. Pere Quart solament creu en la fe senzilla de l'home comú, simbolitzada pel rudimentari pessebre. En una poesia com aquesta la fe o l'escepticisme són les dues constants.[13]

La tercera de les peticions està implicada en els versos que clouen el poema:

13. La darrera secció de *Poesia empírica, op. cit.*, la VI, escrita amb tipografia més modesta que la de la resta del recull, abunda en aquesta idea de la fe senzilla, en especial l'últim poema «Romanço herètic de carrer».

Infant rosadenc, somrient,
Déu petit,
per què creixes?

És aquest interrogant el que manifesta el desig de la quietud, car si el temps es parés —hipòtesi que ja he dit que és reiterativa en la seva poesia—, si l'«Infant» romangués tal com era, el món no evolucionaria i podríem recobrar la beatitud perduda. D'aquí que hom pot deduir que, per a Pere Quart, l'expulsió del Paradís significa posar l'univers en moviment.[14]

No ens sorprengui, doncs, que el Nadal, amb totes les seves connotacions religioses i històriques, es torni de vegades el material de la seva poesia, car «sempre s'ha acarat al sentiment religiós heretat i corregit».[15]

La clau o matriu de la penúltima nadala, «Ànima meva», radica en els dos breus versos finals que formen una estrofa:

Ànima meva,
rabadà, vols venir?

En el poema hi ha un desdoblament de la personalitat: el jo del poeta es diferencia de la seva ànima. El jo és instintiu, jove, bona fe, animós, i és el que parla constantment. L'ànima, al contrari, és reflexiva, desconfiada, vella, i només parla un cop, al vers 19 entre parèntesi: «(No sé l'amor, vull creure, espero...)» El jo, que l'havia temptat amb la possibilitat d'enriquir-se a l'Espluga del Misteri, li pregunta aleshores si vol anar amb ell, i l'anomena «rabadà», vers que correspon a la tornada de la nadala tradicional on el pastor troba excuses per no anar a la «Cova»: té son, té gana, fa fred... excuses que dissimulen la manca d'interès i de fe.

En aquest poema, doncs, es manifesta de nou la fe

14. Vegeu Joan OLIVER, *Allò que tal vegada s'esdevingué*, op. cit.
15. Carta de Joan Oliver, setembre de 1980.

petita, que trobarem mencionada literalment en la darrera nadala, «Racconto», vers 42, que acaba amb una pregunta, deixant així la resposta i el grau de transcendència que hom vulgui donar a la composició a l'arbitrí del lector. D'altra banda hi ha una nota escèptica que no puc ignorar, el «diuen» intercalat a la descripció del tresor de l'Espluga. El jo del poeta no l'ha trobat mai, i si bé en sap el camí —«aquest és el camí»— sembla que dubti de l'existència del tresor.

A «Racconto» [16] ens confirma en part aquest dubte. El poema és una autobiografia imaginària entorn dels fets del pessebre i de la història de la humanitat. El títol és en italià perquè significa relat verídic. Consta de quaranta-nou versos i està escrit en primera persona, el mateix poeta que aviat, ens diu, complirà mil nou-cents setanta anys, car, quan va néixer el Crist tot just era un sagal adolescent i ignorant. Aquesta tècnica permet que la narració, sense forçar-la, pugui ser personal, factualment fidel i ingènuament irònica:

> a un matrimoni errant i pobre
> li nasqué el primer fill
> en el racó d'un porxo.

Exposició exacta però amb la insinuació que tingueren més fills. Aquest matís contrateològic també apareix en contradiccions humorístiques:

> Jo no recordo ni l'estel ni l'àngel.
> (Només un xic les gales deslluïdes
> dels viatgers, que em sembla que eren quatre,

on la memòria que li «falla» trenca els esquemes de les religions oficials i dogmàtiques. I desmitifica llurs mites en explicar ingènuament:

16. Vegeu la versió en prosa a Joan OLIVER, *Tros de paper*, op. cit.

7.

Al cap de temps i temps
s'aclariren les coses
terribles i admirables d'aquella nit primera.

Versos que confirmen que la història s'escriu segons els interessos de cadascú i de cada grup al poder, o amb pretensió de poder. Tanmateix hi ha alguna sospita en la qual tothom pot coincidir:

si l'Infant nasqué trist
és que llegia la història de demà.

Els annals implacablement cruels de l'home, ésser anecdòtic amb el qual s'identifica a través del temps en el seu nivell més humil, el del sagal, segons acaba el poema, amb una nota d'esperança:

ara, pel març, compleixo
mil nou-cents setanta anys.
I no em voldria pas morir
que això tot just comença,

esperança davant les possibilitats de l'evolució humana.

Aquesta narració, referida al present, fa de tanca a l'escepticisme empíric i cristià de Pere Quart que manifesta per mitjà del material nadalenc, i que passo a analitzar breument.

Cristià, en el sentit etimològic, perquè tot presentant els fets del pessebre, despullats de la retòrica oficial, assenyala en ells un món oposat al de la «fe cruel» que ens encadena «a la mísera vida» («Complanta de Nadal», vers 10), fe que ha falsificat històricament els valors de l'individu i ha reforçat la divisió de classes i de grups socials. Empíric, perquè la valoració, negativa o positiva, es cenyeix sempre a allò que l'experiència pot justificar. Així, ja ho hem vist, especialment a «Ànima meva», descobrir o enriquir-se amb el «Misteri» és només una hipòtesi antinòmica de la realitat. L'única cosa que podem certificar per l'experiència és que hi ha una tendència vers el «Misteri» [17] que no és privilegi de ningú, és a dir, «la fe petita». Fe i tendència que són una llavor plantada al mig de la crueltat i l'estupidesa, notes escandaloses dels éssers humans:

> *I els homes prosseguiren les guerres de costum,*
> *però restà la fe petita*
> *com un pessebre al passadís*

(«Racconto», versos 41 a 43).

I aquesta llavor a penes ha crescut, per això la història de la humanitat «tot just comença». La connotació optimística del poema està en el fet de no rebutjar la idea que, malgrat el mateix home, hi ha la possibilitat d'una revolució de cara al futur, i que ens pot fer partícips de la «pau del paradís».[18]

Pere Quart escriu tot això en ple enfortiment internacional del franquisme dins l'òrbita neoimperialista d'Estats Units, durant els primers anys de la dècada dels cinquanta, sense estabilitat econòmica ni cap plataforma pública, ni tan sols una de similar a la que tenia en temps de la dictadura de Primo de Rivera, quan dirigia el «Diari de Sabadell». Els seus escrits i la seva personalitat, desconnectats, des del 1939, de l'home del carrer, viuen en una obscuritat que amb el temps esdevindrà extremament fructífera. De moment només farà impacte en aquells que el rodegen. El fet és que l'home i el poeta que era un dels portaveus del pensament i

17. Molts poetes de països cristians, sobretot hispanoamericans, han fabricat mites nous que suggereixen un apropament al «Misteri». És a dir, al contrari de Pere Quart, han cregut evocar-lo. Exemples d'aquests mites són: L'Amèrica pre-colombina (César Vallejo i Octavio Paz), la paraula (Pablo Neruda i Octavio Paz), el poble (Pablo Neruda i César Vallejo) i la poesia (Pablo Neruda i José Gorostiza).

18. Paral·lelisme amb César Vallejo, si bé aquest dóna una solució idealística: l'amor absolut d'absolutament tots els homes. Vegeu «Masa» a C. VALLEJO, *Poemas humanos. España, aparta de mí este cáliz*, Losada, Buenos Aires, 1961.

les lletres catalans, i davant el poble, continuarà públicament arraconat.[19] Ni una revista, ni un diari, ni un teatre, es feien eco de la seva paraula,[20] i això contrastarà amb l'explosió del Price, l'any 1970, a l'edat de 70 anys,[21] quan el premi d'honor de les lletres catalanes el consagrà. Malgrat el seu aparent aïllament, o precisament per ell, produeix *Terra de naufragis* que és la culminació de les etapes anteriors. I supera l'«enyorament» de *Saló de tardor* enfortint l'«angoixa vital» de rebel.

3. TERRA DE NAUFRAGIS:
ELS POEMES EGOCÈNTRICS

El fet que la segona, i darrera, secció d'aquest recull porti el mateix títol que el llibre, indica que el material utilitzat en els vint-i-tres poemes de què consta, amb una gamma formal i temàtica molt àmplia, pertany al món existencial del poeta, i, òbviament, a partir d'ell mateix. Les «Cinc nadales» constituïen un producte eixit de la història i la religió corregides, perta-

19. Joaquim Molas ha comparat Pere Quart a Bertolt Brecht —vegeu «Nota sobre Pere Quart» a «El Urogallo», núm. 1, febrer 1970—, però en el moment d'una valoració d'ambdós autors cal tenir present la diferència de projecció pública dels seus escrits.

20. Pere Quart, durant els anys 1955 i 1956, va escriure regularment articles a la revista «Destino» amb el pseudònim de Jonàs, per tal de millorar la seva precària situació econòmica. Recorria a un llenguatge codificat car no podia signar amb el seu nom ni dir clarament allò que volia. Això va ser mal vist per aquells que veien «Destino», i no sense raó, com una revista nascuda del franquisme. I així, Agustí Bartra, aleshores a l'exili, va escometre contra un article del tal Jonàs que era un sarcasme davant la realitat d'aquell temps (vegeu *De los poetas*, a «Destino», 19 de maig de 1956), perquè se'l va prendre al peu de la lletra, i el va insultar com a antipoeta venut a la «salut pública oficial» (vegeu A. BARTRA, *Resposta a un jove poeta*, a «Gaseta de Lletres», Mèxic D. F., maig de 1956).

21. Al Price es va celebrar el I Festival de Poesia Catalana amb un èxit inesperat i del qual Pere Quart fou principal protagonista.

nyien a la perifèria existencial de l'autor i del «tu». En dir això discrepo de la idea del pròleg de Joan Teixidor a la primera edició del recull, que es pot resumir amb el seu passatge: «aquesta terra de naufragis on el poeta cerca sense parar els *vestigia Dei*».[22] Una tal cosa seria impròpia de l'empirisme poètic de Pere Quart. Déu no és res més que una idea vigent que ell transforma en figura literària i l'empra tradicionalment i equivoca: «Jahvè», el «Jutge Major», el «Senyor», «Déu», i, com veurem més endavant, el «Pare», són unes imatges homòlogues d'origen bíblic, que o bé es poden interpretar —ho repeteixo— com personificacions de l'atzar, o bé com personatges imaginaris que l'home inventa per raons determinades, com són la fam, la por, l'ordre, la llei, l'autoritarisme. Un element poètic diferent és el Crist, personatge històric més popular que renova la llei del «Pare» i tolera la llei del Cèsar, i que Pere Quart empra per allò que té de permanència revolucionària.[23]

Potser Joan Teixidor, no va saber, ni va poder, entendre l'esperit de la poesia de Pere Quart, perquè el volia limitar a una religiositat separatista, en comptes de veure-hi la manifestació de qui cerca el complex sentit de l'existència en el nucli del «jo» ara i aquí. Em refereixo al recull sencer, la poesia del qual mostra la rebel·lió del poeta contra les característiques de la vida mateixa i de l'estructura del viure, i així ho defineix amb la cita de Novalis que fa de lema de tota la segona secció: «La vida és una malaltia de l'esperit, una acció adolorida»,[24] és a dir, l'home va per la terra que és alta mar, terra de naufragis.[25]

22. Joan TEIXIDOR, pròleg a Pere QUART, *Terra de naufragis*, Els llibres de l'Óssa Menor, Barcelona, 1956.
23. Vegeu el ja citat «Romanço herètic de carrer» —a Pere QUART, *Poesia empírica, op. cit.*— on diu referint-se al Vaticà: «Sanedrí rediviu, / corregit i augmentat, / com l'altre incompatible / amb el Jesús legítim.» (Versos 145 a 148.)
24. Vegeu també aquesta cita de Novalis al pròleg que signa el seu doble Joan Oliver, a Pere QUART, *Poesia empírica, op. cit.*
25. Vegeu «Infern de polígam», versos 6 i 7, i *Epístola d'alta*

Aquest plantejament existencial —evito a propòsit el mot «existencialista» encara que hi tingui relació— que ja vàrem veure a *Saló de tardor,* ara està més desenvolupat, expressat amb una lírica subjectiva i conscient, lírica sense sublimacions eufemístiques, a l'altura de l'home pel material que selecciona i per les distintes maneres d'enfocar-lo, per les sorpreses i caigudes líriques, per la ironia[26] i per les formes que empra. I cada cosa segons convingui a la unitat i l'estètica del poema.

Els vint-i-tres poemes d'aquesta secció es poden dividir en tres tipus que de vegades s'entremesclen. Uns són els narratius on el protagonista no és el jo. El segon tipus és el dels que expressen directament idees i tenen una forma més aviat descriptiva. El tercer tipus és el d'aquells on el poeta apareix d'alguna manera com a protagonista, poemes que qualifico d'egocèntrics. Ara bé, la complexitat de l'art verbal fa que aquesta divisió només serveixi per a l'intent d'aproximació sintètica a l'amplària d'un camp delimitat per la unitat. M'explico: els poemes, a més de posseir una unitat pròpia i intransferible, són part de la unitat del llibre sencer. Alguns crítics, davant aquest fenomen, veuen avui la solució de recórrer a la lingüística estructural, i es limiten a estudiar els poemes com sistemes de signes. Personalment crec que això és una troballa, però no es pot aïllar de la tradició estudiosa que considera especialment les arrels de l'invent poètic.[27]

---

mar, on, per més humorístic que sigui, hi ha una connotació tràgica en els següents versos: «(Per què d'aquest planeta / on ens ha dut l'atzar, / en lloc de Terra, a seques, / no en diuen Terramar?)» (versos 157-160). Car el sufix «mar» vol dir abisme —«Suspès damunt l'abisme» (vers 181)—, i alta mar aleshores és també terra de naufragis.

26. Vegeu Joan FUSTER, *Poesia de Pere Quart, a* «Pont Blau», núm. 42, Mèxic, abril de 1956, on afirma, a propòsit de *Terra de naufragis,* que Pere Quart és irònic perquè no té el fanatisme moral del satíric ni la frivolitat de l'humorista.

27. Si, com diu Claude Lévi-Strauss, «La poesia sembla que existeix entre dues fórmules conflictives: la integració lingüís-

En llegir el primer poema d'aquesta secció, «El naufragi», el qual, a més de la connexió del títol amb el de la secció, és l'acte conseqüent d'aquest, veig que exposa tres plans ben determinats amb un estil que recorda *Les decapitacions*: el lloc on s'ha enfonsat el vaixell, símbol de la vida, el del mig, la línia horitzontal del mar, natura inconscient de la tragèdia i que es mou compassadament i estúpida, tòpic de la lírica tradicional, i el de damunt el mar, on l'ocell vola «sense niu» i és el testimoni de la tragèdia. Davant d'això hom pot interpretar que qui ha naufragat és Catalunya, la Catalunya revolucionària, i que l'ocell és el poeta, un dels supervivents perquè «va poder alçar el vol».

És ara el moment d'assenyalar que el procés d'elaboració permet a l'autor distanciar el text definitiu, espacialment i temporal, d'allò que volia dir primer i que encara vol dir, i que aquesta distància és immesurable i constitueix la dificultat més fonamental de tot estudi de la poesia. És més, el poeta amaga allò que vol dir, no per caprici, sinó perquè normalment la manera inicial d'expressar-ho no el convenç. Tota ídea i sentiment tenen dins la ment del poeta una existència àrdua car han de ser representats amb paraules i oracions, i fins i tot tipogràficament, i el poeta sap que distanciant-les i distanciant-se, el material del producte resulta més complex i més sòlid. És el procés de la desintegració semàntica de què parla Lèvi-Strauss, que tant pot donar-se fent desaparèixer els mots que representarien els sentiments i les idees, com anomenant-los directament o indirecta en el text del poema. El radi d'acció és tan ampli que una futura ciència literària —esperem— tal vegada podrà calibrar-lo i definir-lo amb una precisió que ara per ara no és possible d'aconseguir.

---

tica i la desintegració semàntica» (vegeu G. CHARBONNIER, *Entretiens avec Claude Lévi-Strauss*: no solament els mètodes tradicionals continuen vigents, sinó que també poden sorgir altres mètodes després de l'estructuralisme.

La vigència del silenci líric en el recull sencer de *Terra de naufragis*, la vigència d'aquesta tercera dimensió en la trajectòria poètica de Pere Quart, aquí la trobem al màxim grau. Després de *Terra de naufragis* l'autor sovint la trencarà conscientment i de fet no tornarà a aparèixer pròpiament fins a *Quatre mil mots* (1977).

Dient això vull indicar que la culminació de la lírica de Pere Quart correspon precisament a la poesia tridimensional que es manifesta especialment en el llibre que comento ara, i a *Quatre mil mots*. Entengueu, però, que parlo del cim i que al voltant d'ell hi ha tota una estructura idiosincràtica de la seva poesia que a mesura que la penetrem ens permet de copsar el nucli del seu lirisme. La cohesió de tot el conjunt i les subtilitats dels productes fan impossible dividir la poesia de Pere Quart en períodes, i desconfio, després d'una intensa lectura de la seva obra, dels historiadors de la literatura que el situen i el classifiquen.[28] Tot això no treu que als altres reculls no hi hagi passatges i poemes tan acimats com els que ara examino.[29]

Constato que a *Terra de naufragis* el poeta mai no

28. L'any 1980 van aparèixer dos llibres sobre poesia catalana que coincideixen amb una expressió que il·lumina el que dic. Una diu: «a benefici dels Espriu, Pere Quart»; l'altra: «Exhaurit, potser, l'estel mimètic dels Espriu i Pere Quart civils». La primera cita és de Joaquim MARCO i Jaume PONT, *La nova poesia catalana*, Edicions 62, Barcelona, 1980. La segona és de Vicenç ALTAIÓ i Josep Maria SALA-VALLDAURA, *Les darreres tendències de la poesia catalana*, Laia, Barcelona, 1980.

29. Fins i tot cronològicament i biogràfica és significatiu el fet que tant *Terra de naufragis* com *Quatre mil mots*, com a culminacions dels cicles del poeta, van obrir quasi immediatament nous terrenys d'elaboració poètica i d'una manera molt similar. Així a *Terra de naufragis* (1956) va seguir *Vacances pagades* (1960, però de fet 1959), i a *Quatre mil mots* (1977) *Poesia empírica* (1981, però de fet 1980). Aquest darrer el poeta el qualifica de testament, de la mateixa manera es podria qualificar *Vacances pagades*. Ambdós llibres trenquen sovint el silenci líric, i curiosament inclouen cadascun un llarg poema autobiogràfic i un cristianisme humà i antiautoritari.

anomena, ni tan sols indirectament, les coordenades íntimes, és a dir, la seva situació personal, ni Catalunya —no hi ha cap poema que s'hi refereixi pel seu nom—, ni la revolució frustrada o possible. Ell només es mostra igual a l'home, amb un egocentrisme no gens intimista, i asentimental, amb excepcions que evidencien la riquesa del camp poètic que intento sintetitzar, conscient com sóc que el comentarista, en assenyalar característiques i constants, redueix el paràmetre de l'aprehensió, i en racionalitzar ofega les troballes de la intuïció.

Dels poemes egocèntrics de Pere Quart, trio primer «La cita», un dels que tenen per tema la mort.[30] Amb un lleu to intimista, malgrat que el poeta no exposa cap sentiment, s'adreça en present a la dona-amada morta. Comença i acaba amb dues paradoxes: la mort de la dona és una separació que després permetrà una cita. El primer i darrer versos són una valoració vital de la mateixa mort. El primer diu: «Jo no m'aturaré; i tu camina», i el darrer: «I ara camina, dona.» La valoració que implica de l'existència i de l'amor consisteix en el fet que la mort de la dona no és més que una de les separacions de la vida normal, que pot portar a un reencontre. No hi trobem cap projecció emocional, sí, en canvi, un to de companyonia i pragmàtic. Un dels versos recorda la imatge dels «estels inútils» de la Decapitació I, en dir que la nit embafa, «i amb tants d'estels il·lusiona». Amb un aforisme, «la vida és moda», descriu l'existència de l'home. Accepta fredament les lleis de la natura, «la gravetat —que cal entendre la llei terrestre de la gravitació— és infal·lible». I descriu el seu empirisme escèptic:

30. La mort en la poesia de Pere Quart, com dic, és merament una llei més de l'existència. Això no vol dir que no s'hi encari, però mai no ho fa amb el caràcter substancialment monolític que pren en la poesia de Salvador Espriu o en la de Vicent Andrés Estellés.

> *Mai no he pretès d'entendre cap misteri.*
> *Guarnit de lleis supremes,*
> *ignoro amb seny mortal*
> *i amb avarícia.*

Una variació sobre el tema de la mort és el poema subsegüent, «Ossada meva», un cant cenyit als fets naturals, irònic i desmitificador, a la manera que Pere Quart escriu els seus cants. Amb un lirisme, atraient pel seu equilibri, descriu l'esquelet que habita «l'estreta tenebra», que sosté la «riquesa minera», és a dir, els nervis, el cor, el sexe; esquelet que, en morir el poeta-home, perdura un temps tot netejant-se de les substàncies que el cobrien —«la higiene penúltima»— i resta com a vestigi de qui existia:

> *darrera penyora de l'home*
> *que ara sóc o aparenço.*

En altres variants sobre la mort també la descriu simplement com la negació de la vida. A «Agonia» el «comiat dels homes», l'acte de morir comporta les imatges de la soledat, dels abismes, de la tenebra, que corresponen al silenci i a l'oblit:

> *el món es clou com la parpella enorme*
> *del déu solar, indiferent a l'ombra.*

Els déus, les forces de l'atzar, ignoren l'home que el poeta evoca una vegada més amb la imatge de l'«ombra». Aquí, morir és tornar-se no-res. Dins aquesta línia es troba el poema «Les cendres» on defineix agnòsticament la vida i la mort: la vida és una nafra i el darrer desig de l'home —amb la imatge «ombres de somni vivent»— és morir:

> *Eixuta escuma de somnis*
> *oblidats per sempre més,*

i aleshores vindran les cendres que descriu amb l'*oxi-moron* «sement de no-res». A aquestes expressions nihilistes, en les variacions sobre la mort, s'uneixen d'altres que suggereixen «una altra vida», bé d'una manera humorística, com en el poema ja mencionat de «La cita»:

> *¿Qui sap, però, si a l'hora onzena*
> *no ens plantaran les ales?*

on «l'hora onzena» significa, és clar, quan ja no hi ha temps de tornar enrera, que correspon a una altra expressió catalana, «a misses dites». O bé amb un optimisme desesperat com a «Darreria», on a diferència de a les «Darreries» del llibre anterior, aquí és ell el protagonista. Desig o paròdia, descriu el lloc perfecte on renaixerà. El «Pare» li arranjarà una estança i ell aconseguirà la pau perfecta, descrita amb la imatge del «fons submarí» del «Peix mort» de *Bestiari*, el cel a l'inrevés, el de les profunditats inassolibles del mar, on l'amor és «total, immòbil, impassible».

La darrera expressió sobre la mort la trobem a «Alçaré el crit» [31] i relacionada amb el valor semàntic del títol. És la més humana de les variacions: un cop hagi mort:

> *Si em retrob i em conec*
> *a la nova claror,*
> *provarà d'alçar el crit*
> *ço que resti de mi.*

Quartet que lliga amb aquell «llamp que desterra» del darrer vers del recull.

D'altra banda «Alçaré el crit» forma part del grup de poemes pròpiament autobiogràfics, on trobem el paral·lelisme constant del «jo», «l'home» i «Catalunya», i

---

31. Per una versió en prosa d'aquest poema vegeu: Joan OLIVER, *Biografia de Lot...*, *op. cit.*

tot allò que és humà ressalta en la forma i el contingut. Pertany també a aquest poema la idea del temps com un espai que s'allunya del poeta —«ara l'any és estret, / tot s'allunya entorn meu» (versos 5 i 6) i «hi ha una veu pels camins / que s'aparten de mi» (versos 15 i 16).

Els altres poemes d'aquest grup que considero autobiogràfics en sentit estricte són «Cançó» i «Primer, segona».

«Cançó» exposa el fracàs del somni de la vida i la imatge central és la que la defineix: la vida és «com un infant entre reixes». Un exemple de la continuïtat de la seva poesia consisteix en la caiguda de la lluna com una guillotina —una altra «decapitació vital»— i en la rotunditat dels versos de l'última estrofa on hi ha una subtil ambigüitat que ens convida a replantejar el present:

> La vida vol tastar el somni,
> he naufragat a l'antiga,
> les illes no són daurades.
> Tot era mentida.

L'ambigüitat es troba en el verb en passat «era mentida».

A «Primer, segona» la varietat argumental de tots aquests poemes s'evidencia una altra vegada. El lloc de l'acció és l'espai que ocupa el seu despatx,[32] la cadira on treballa, «en l'espai on ara medito», i a partir d'aquí retrocedeix en el temps i s'imagina un preterible. En comptes de la casa de pisos que habita, un arbre gegant, i en comptes de la seva persona, al lloc on és, que correspon a la tofa de l'arbre, un ocell gran, a qui anomena de tres maneres distintes: «Au» quan parla de la soledat, «ocellot» quan el descriu, i «ocellàs» quan explica els pensaments de la bèstia, amb els quals ens

---

32. De fet Pere Quart vivia aleshores a un segon, segona. Aquest detall demostra que evita sempre l'exactitud personal, autobiogràfica, quan això no canvia la substància del poema.

identifiquem i identifiquem el poeta. Els «somnis / de llibertat assolellada», és a dir, una llibertat a plena llum, sense haver-se d'amagar —formula l'ideal dels catalans, i, per la imatge de l'ocell primitiu, de totes les comunitats d'homes—, «ben compartida tendresa» —l'amor d'una dona—, «espera fecunda» —els fruits positius de la vida—, i «un crit de glòria» —la mort com un acte de plenitud.

Però un poema de Pere Quart no es conforma mai amb les altures de l'exaltació, ha d'humanitzar-se. La seva lírica, ho he dit i ho repetiré, és una lírica a l'altura de l'home, amb totes les complexitats que això comporta. La ironia no hi manca. Així, als versos 19 i 20, «... com un filòsof / dels qui dubten, si encara pensen», en els quals constata el relativisme de la seva ideologia. I, sobretot, la «caiguda» del vers final que equilibra tot el poema amb l'ambivalència de l'autoironia. Els ideals de l'ocellot, que no per això deixen de ser ideals, el transformen en poeta, com l'autor: «—il·lús, eixorc, sòpit poeta!».

4. TERRA DE NAUFRAGIS: *POEMES NARRATIUS I DESCRIPTIUS. CONCLUSIÓ*

El fet que sigui la terra —on es produeixen els naufragis— allò que dóna unitat a tot el recull, i la manera com la tracta, fan que la ideologia no sigui gens reiterativa. Si comparem aquest llibre amb dos altres cronològicament anteriors, de dos poetes força diferents i que centren la seva poesia en situacions relativament similars, veiem que les composicions de Pere Quart, al contrari de les dels altres, mantenen la línia que he anomenat lírica a l'altura de l'home.

Em refereixo a *The Waste Land* (La Terra Estèril) de T. S. Eliot, inspirat en el Londres dels anys vint, i on recorre a la mitologia i a l'ocultisme, i empra l'erudició més depurada per elaborar una poesia que descriu el naufragi de l'home, que sembla que no té altra opció que esdevenir part del món mitològic. L'altre poeta a qui em refereixo és Federico García Lorca amb *Poeta en Nueva York*, recull que conté una ideologia monolítica que condemna els suposats gregarisme i manca de vitalitat de l'home civilitzat, i que recorre, com a taula de salvació d'aquest «naufragi», a una imatgeria surrealista i a una temàtica entre cristiana i primitivista.[33]

Pere Quart resta, en canvi, dins la lírica «personista»,[34] la seva producció només conté ocasionalment materials erudits o transnaturals, i per diverses raons, de paròdia, d'ironia o de compensació. Aquest equilibri en la varietat és explicable perquè la «terra de naufragis» és primer de tot la seva,[35] és Catalunya, és a dir, el seu món més genuí, i, per tant, no li cal oferir-se de víctima propiciatòria, a la manera de García Lorca, ni construir un *collage* hermètic que finalitzi amb l'abstracció religiosa-oriental *shantih*.[36] Pere Quart acaba amb el tema-imatge d'un dels éssers més exigus de la natura, una fulla.

Al mateix temps suggereix els valors de la «civilització», dels quals són símbols tant Nova York com Lon-

33. Cal recordar, però, que *Poeta en Nueva York* va ser publicat pòstumament com a llibre, i per tant ens arriba sense la depuració final de l'autor. Altrament no repugna pensar que García Lorca no l'havia publicat com a recull perquè simplement no tenia la intenció de fer-ho.

34. Em decideixo a utilitzar l'adjectiu «personista» per significar coses d'home, la seva existència, els seus valors i les seves funcions, perquè si bé el més apropiat etimològicament seria un derivat d'home, tots els que se m'ocorren podrien ser malentesos.

35. T. S. Eliot era un foraster a Londres, i García Lorca no solament ho era a Nova York sinó que hi ha testimonis que no va fer cap esforç per aprendre l'anglès. Sobre això darrer vegeu a Federico GARCÍA LORCA, *Poet in New York*, Grove Press, Inc., Nova York, 1955, la introducció d'Angel del Río.

36. *Shantih*, segons les notes del mateix T. S. Eliot, repetit com al final del seu poema, és una manera formal amb què acaben alguns tractats sànscrits, i significa: «la pau que no podem entendre». Vegeu T. S. ELIOT, *Selected poems*, Penguin books, 1948.

dres, a «Epítafi de mariner», el qual mor «de cara al nord», on la brúixola assenyala sempre, cap al benestar. Aquest mirar des del sud vers el nord el trobarem també mencionat a «Assaig de plagi a la taverna», en un recull posterior, *Circumstàncies* (1968). Igualment reconeix la civilització a «Un violí», on amb un lirísme clàssic, i econòmic, descriu aquest instrument musical, tornant al joc del temps —«veu rediviva / d'un bosc ventós del qual fores futur»—, i amb uns versos finals que reiteren imatges de la terra que trepitgem:

> *¿Quin vol de clams, quins invisibles passos*
> *avui s'estenen pels camins de foc?*

que recorda els ecos de les ombres de la Catalunya soterrada amb una visió positiva en dir que «avui s'estenen pels camins del foc», car l'interrogant és merament retòric.

Aquest «trobar-se a casa seva», malgrat tot,[37] pot explicar que retorni a situacions humorístiques, tipus neonoucentisme, encara que parli de la tragèdia metafísica de l'home, com a «Suïcidi en el pou». Trencat el llibant, els homes s'oblidaren de la «deu profunda», l'aigua de vida s'ha transformat en abisme, i aleshores

> *S'hi llançà el foll somiador*
> *i ara hi somia i se n'inunda.*

El cor dels homes, confirmat pel «ministre», fa el foll a l'infern, però en la darrera estrofa el brocal del pou esdevé la imatge *kitsch* de l'aurèola dels sants, i així «el cel, astut, el glorifica / amb la corona del brocal».

Tres punts ressalten en la ideologia d'aquest poema: la contingència que ens permet oblidar el misteri, l'in-

---

37. Pere Quart conta la discrepància profunda amb el seu amic Trabal quan va decidir tornar de l'exili. Escriu que pensava: «calia retornar al més aviat possible, ja havíem tardat massa a fer-ho». Vegeu Joan OLIVER, *Tros de paper, op. cit.*

tent d'assolir-lo és un suïcidi, i el desencert dels raonaments humans i de l'autoritat «espiritual» que els avala.

Això em porta a comentar els dos poemes bíblics. «Noè» que descriu el diluvi vist des de l'Arca, i «El manament», on el poeta desenvolupa i posa al dia el passatge de l'Èxode 20, 4, amb el qual construeix la primera estrofa. Són dos poemes completament diferents de forma i contingut, però que segueixen la línia d'exegesi dels poemes bíblics de *Les decapitacions* i de les *Cinc nadales*. «Noè» és narratiu i tragicòmic; «El manament», en canvi, és una amonestació adreçada als artistes que estrafà a posta el to transcendent i mancat d'humor de la Bíblia.

A tots dos hi ha una contrateologia evident. L'absurd de la història de Noè l'apunta en frases que atribueix a l'«almirall»: «I mentrestant els peixos se la campen!» (vers 11) o «i el llot no adoba res: / cria mosquits i lleva febres» (versos 45 i 46) o «som quatre gats malavinguts / i me n'estic veient una muntanya...» (versos 48 i 49). I molt especialment en el comentari del poeta als versos finals: «En aquell temps ningú no s'estranyava / de res. Vegeu la Bíblia.»[38]

La narració del diluvi prové, doncs, d'un principi autoritari que es basa en un Déu irascible, justicier perquè està gelós de si mateix i suscita temor (Èxode 20, 20). Prohibida tota idolatria que no sigui dirigida a Ell, en «El manament», l'artista que l'obeeixi ha de limitar-se a imatges de la mort i del no-res. Aleshores, Pere Quart dedueix lògicament que la pintura abstracta és una defensa de l'art per no ofendre l'Autoritat màxima, mentre que a «Noè», per mitjà d'aquest personatge, invita Jahvè a canviar d'idea:

> .... *estronca*
> *les deus de la justícia*
> *i engega el sol de la misericòrdia!*

38. Vegeu Joan OLIVER, *Noè al port d'Hamburg*, inspirat en un article de Mark Twain, a *Teatre original*, Proa, 1972.

sense apartar-se en cap moment del to humorístic que caracteritza el poema i que conté el «pro» (humà) i el «contra» (teològic), i que suggereix que és Jahvè qui ha estat fet a imatge i semblança, no ja de l'home, sinó dels interessos de «classe» mantinguts a costa de la destrucció de la bellesa i de la vida, sempre que cal.

Més encara, els versos finals de tots dos poemes evoquen l'anacronisme i la regressió de la postguerra. Al segon mencionat tot imitant l'estil bíblic diu: «Car és escrit, hi ha el manament.»

Terra de naufragis enclou també alguns personatges arquetípics en poemes més aviat descriptius amb una mescla de recursos objectius, surrealistes i psicològics que sovint recorden caràcters, situacions i llocs dels primers poemes de Pere Quart. «Guió» [39] és una paròdia cinematogràfica que tracta de la celebració d'unes bodes, i on apareixen personatges que reconeixem: el «Maligne», una «mestressa», un «jutge», i d'altres que concorden amb el surrealisme, un guardabosc, un ànec rònic, una euga verda, uns músics, una núvia que de gerda es torna rància, i un nuvi que diu «No, pare!».

«Interior» [40] tracta de la vida de família d'un botxí, amb dona i fills, i acaba amb la sesta d'ell que «somia feina» assegut en un balancí de lona. El ritme poètic és d'una monotonia sinistra i correspon a la professió que és el suport econòmic d'aquestes vides. «La parella»,[41] una descripció en gris dels «amants més joves del meu barri», i «La infermera», la noia conscient que va a complir el seu deure i desoeix la veu del minyó que l'estima i la vol estimar, són dues estampes ciutadanes que contenen les complexitats de l'amor i de l'existència

---

39. Versió en prosa a Joan OLIVER, *Biografia de Lot...*, *op. cit.*, amb el títol de «Seqüència».
40. Publicat en prosa amb una novetat que assenyala el títol «Nadal de botxí». L'aspecte sinistre queda més emfasitzat pel fet d'haver-lo situat en aquest moment de l'any. Vegeu Joan OLIVER, *Tros de paper*, *op. cit.*
41. Versió en prosa a Joan OLIVER, *Biografia de Lot...*, *op. cit.*, amb el títol «Els enamorats».

quotidiana, i sobreentenen la soledat de l'ésser humà. A «En un taller de pintor»[42] la dona nua que fa de model, es somia —primera i segona estrofa— i esdevé «Eva» abans del pecat original —tercera estrofa— «com la primera bèstia» (vers final que recomença el poema, car així, i per plaer, l'home-mascle la mira i la recrea). «Neu» és una descripció lírica de tipus pictòric, escrita a la manera d'un diàleg, on la natura suggereix aspectes de la condició humana i social:

> Em malfio del silenci
> sense sang i sense vent,

i amb un aforisme mostra la contradicció de la suposada existència de Déu: «Quan Déu calla tot escolta.»

A mesura que avancem en l'obra poètica de Pere Quart es fa més evident que l'home i la seva experiència són el centre de tota la seva lírica. I amb aquest postulat arribem a «El guany», poema que a dretcient és el penúltim que comento perquè em sembla que és el preàmbul personal i antitètic d'«Elegia». En ell diu que no podia perdre res «qui arribava invàlid[43] i nu», i allò que ha guanyat és

> ... una mesura rasa d'incerteses
> on cerca brins la desmenjada fe.

La fe ja no és «l'ínfima xifra d'una fe infinita» de la Decapitació XXV ni «la fe petita» de «Racconto», sinó l'apàtica de l'home davant un cul-de-sac. I aquesta situació és la que no havia experimentat l'«ocellàs» de

---

42. Sobre el tema del nu femení en l'art, i del masclisme i el classisme que implica, i que també assenyala Pere Quart, vegeu John BERGER, *Ways of seeing*, BBC and Penguin Books, Londres, 1972.

43. Seria un treball inacabable aturar-se en tots els termes de més d'un significat. Aquí ho faig a tall d'exemple i per indicar el valor diacrònic —havia perdut tota validesa— i sincrònic —sense forces ni vigor— del mot «invàlid».

«Primer, segona», aquell «—il·lús, eixorc, sòpit poeta!», vers que també repeteixo perquè és l'immediat anterior al poema «Elegia», el darrer del recull.

Aquest poema és un plany gairebé heroic per la caiguda d'una fulla, cosa que es manifesta en la segona estrofa quan les coordenades de temps i espai enllacen la mort de la fulla amb la de l'home. Llegim en efecte:

> els adéus de flongíssima veu,
> la ruïna enfebrada del cor
> i les ombres finals de la ment

i ens recordem dels joves poetes morts de la dedicatòria de tot el recull. En la tercera estrofa descriu la caiguda de la fulla amb un símil de l'activitat humana: «lleugera com un pensament». I en la quarta i darrera estrofa ja no cal que mencioni l'home, la connotació és òbvia:

> Cap avall,
> sota el cel,
> la columna infinita, massissa
> que soterra —o el llamp que desterra!

Per tant, el temps, l'espai, la història, soterren l'home i la fulla ensems. Però el poeta obre guió, i afegeix la possibilitat agnòstica de la resurrecció, d'una sort futura en la terra de naufragis, tant històrica com metahistòrica, per a l'ésser humà.

Aquest llibre és, doncs, paradigma de la lírica que he anomenat «personista», i tanmateix dista de l'actitud poètica proposada per Pablo Neruda quan pretenia substituir el «poeta vell» pel «poeta nou» a «El hombre invisible».[44] El poeta xilè va definir aleshores el deure i el poder de tots els poetes que havien de fer-se eco dels secrets dels homes. Pere Quart, altrament, no

44. Vegeu *Odas elementales* a Pablo NERUDA, *Poesía completa*, Losada, Buenos Aires, 1956.

cau mai en la pretensió de definir la pràctica poètica, però exerceix aquest fer-se eco dels secrets dels homes a partir d'una situació molt més difícil que la de Neruda: exiliat a la seva terra, sense una plataforma des d'on poder fer arribar la poesia al poble i amb una llengua minoritària i perseguida. I ho fa per «necessitat», per vocació, sense la presumpció i la ingenuïtat del poeta xilè que creia haver descobert l'impossible, la pedra filosofal de la poesia.

1. LA UNITAT DE VACANCES PAGADES I LES TRES PRIMERES SECCIONS

Quan Pere Quart va publicar *Vacances pagades*, feia dos anys que tenia una mínima plataforma al lloc de treball on col·laboraven amb ell un grup de joves universitaris —el nostre poeta s'apropava als seixanta anys, som a finals de la dècada dels cinquanta— que l'anomenaven «el nostre poeta».[1] En escriure llavors la seva poesia s'adreçava a un públic concret, per reduït que fos, i sabia que el llegiria i l'entendria una minoria, però de debò. Potser des de la representació del seu drama *La fam*[2] el 1938, no havia viscut una tal compenetració amb uns possibles receptors de la seva obra. Havien passat quasi vint anys. Tota la poesia anterior, des de *Les decapitacions* a *Terra de naufragis* és revalorada en ser descoberta per una nova generació, la qual, a més, el tracta personalment en un món mancat de llibertats fonamentals i en la quotidianitat de l'oficina on el poeta és també un intermediari i un defensor dels seus drets econòmics.

Tot això repercuteix en els seus productes —forma i contingut sempre inseparables— i estampa per primer cop alguns poemes o passatges plens de la immediatesa i circumstancialitat que «el seu» públic li demana.

1. Vegeu Sergi BESER, pròleg a *Vacances pagades*, a Pere QUART, *Obra poètica, op. cit.*
2. *La fam* es va representar per primera vegada a Barcelona, el novembre de 1938. (En castellà i traduïda per l'autor es va representar al teatre de Winston de la Universitat de Bristol —Anglaterra— el maig de 1974.) La segona representació en català no va tenir lloc fins el maig de 1981 a Sabadell, en funció única i en pèssimes condicions.

Aquests poemes i passatges de missatge directe que formen part del material històric, els depura menys, i, per tant, en estudiar-los és més patent l'equilibri entre la integració lingüística i la complexitat figurativa, i d'entrada la desintegració semàntica no resulta difícil de copsar. En comptes d'interpretar-los, cosa oberta sempre a les possibilitats del lector, bastarà aclarir les referències, car el rigor formal, que de cap manera no insinuo que Pere Quart abandoni, és més flexible. Exemple d'això és que la poesia, així dita lliure, que abans utilitzava per manifestar el lirisme més personal, ara també pot tornar-se poesia social, o una mescla d'ambdues, a voluntat, és clar, de l'autor. Que això no s'entengui com un canvi envers una relaxació poètica, ans al contrari, com una mostra més del seu enginy i del seu esperit de servei.

El «realisme històric» de Pere Quart en mostrar-se poeta social, o, com deien alguns crítics, civil, no és una constant seva, malgrat ser-ne el principal iniciador a Catalunya, sinó merament un aspecte de la seva diversitat d'inventor d'art verbal.[3] A *Vacances pagades* són pocs els poemes exclusivament d'aquest estil. Els més evidents són «Cobles del temps», «Hi ha coses massa pures», «Salm de les llàgrimes», «Seixanta», i el que clou el llibre, «Abans de callar», on concilia la circumstancialitat amb la forma de to popular dels versos d'art menor. Hi ha altres exemples de poesia social no inclosos en recull però sí a l'*Obra poètica* i que va escriure en aquell temps. Un dels més notoris és «Ària del diumenge», fruit de les seqüeles del Congrés Eucarístic

3. J. M. Castellet a la *Gran Enciclopèdia Catalana,* i abans a *Prosa, realisme, història,* Edicions 62, Barcelona, 1965, afirma que Pere Quart és el primer exponent del realisme històric catalano-europeu. Lluny de mi el negar-ho, però dir merament això pot donar lloc a malentesos. No hem d'ignorar que Pere Quart, primer de tot, renova profundament la lírica catalana, concep l'«objecte» de la poesia a nivell de l'home, i a partir d'aquesta concepció que trenca amb la poètica tradicional sense negar els seus valors, hi ha hagut un ampli moviment poètic a tot Catalunya.

de Barcelona i de les concentracions franquistes; és un diàleg entre un obrer jove i la seva mare i retrata les estructures sòcio-econòmiques verticalistes.

La constant de rebel·lia infosa en tots els poemes és permanent en aquest llibre que va titular sardònicament «vacances pagades» car aleshores treballava molt i cobrava poc.

Per tal de facilitar-ne l'estudi dividiré aquest recull en seccions encara que el poeta el presenta com una unitat, i com a tal cal llegir-lo. Tanmateix em permetré fer-ho perquè em sembla que en una primera aproximació a un tot poètic aquestes divisions no repugnen.

El títol, a diferència dels llibres anteriors, indica un fet econòmic que presenta una situació personal, confirmada, per contradicció, a «Joc»:

> *I per a perdre'm la vida*
> *treballo cada diumenge.*

Les «vacances pagades» —un dels drets bàsics de l'obrer— són aquí el treball constant per sobreviure i per produir poesia —«l'últim art pobre», com diu i repeteix Pere Quart—, i a aquest punt de partida el poeta dedica un poema amb el mateix títol, un dels més subjectius i complexos del recull.

La primera secció consta d'un sol poema, «Cançoneta noucentista del mal camí», que fa de pont entre tota l'obra anterior i els poemes del llibre. D'estil i de cantarella carnerianes, la «cançoneta» tracta de la relació del poeta amb l'Esperança i la Fe personificades. És evident que és una paròdia més del noucentisme que Carner, per massa ortodox i burocratitzat, no hauria pogut escriure. La forma, de versos heptasil·làbics i rima consonant, és impecablement regular, amb els passatges rítmics i semàntics limitats a un o dos versos. Comença dient:

> *Fatigat de tanta espera*
> *he reprès el mal camí,*

119

és a dir, torna a la vida pública després d'anys d'intro-
versió, per al final, havent descrit la seva relació amb
les dues «dones» —l'Esperança i la Fe—, que ja sabem
que tenen un valor, per més mínim que sigui, en la seva
poesia, enriure's de les dificultats:

> No és aquesta la manera,
> certament!, de fer camí.

Les dificultats de la seva relació amb les dues «dones»,
a més de ser l'exordi del recull, són una anticipació
del poema «Vacances pagades», on descriurà les invo-
lucions del camí que segueix. Un poema com aquest
de la «Cançoneta», quant a la forma, a la seva cohesió
rítmica i semàntica d'estil noucentista, i com a portal
del recull, ja el vam trobar a Saló de tardor («Lletra
d'assassí per amor») i a les dues seccions de Terra de
naufragis («Borrissol d'àngel» i «El naufragi»).[4] D'altra
banda el tema de la «Cançoneta», com ho era el d'«El
naufragi», és una síntesi de tot el recull que versa sobre
qui és i per on va el poeta —l'home— «fatigat de tanta
espera». Ara i aquí hi ha un paral·lelisme entre el Pere
Quart actual i el del temps de la República que es va
imposar una tasca col·lectiva, guardades les proporcions
entre els dos moments històrics.

Les «Endevinalles» que segueixen l'exordi formen
una altra secció. A causa, però, del seu material, més
que una segona secció, hom podria dir que són una
altra introducció: una variació contramítica sobre sis
personatges que no anomena. Així, la solució de cada
endevinalla no és un fet o un sentiment o una idea,
sinó un personatge. Cinc d'ells són bíblics, el sisè un
poeta clàssic. Respecte als bíblics Pere Quart segueix
la constant contrateològica de transcriure fets i aspec-
tes indisputables, car són els mateixos que narren les

4. Pere Quart, conscient d'aquesta carta noucentista que pot
ensenyar, ha escrit a Poesia empírica, op. cit. («Col·lotge nostàl-
gic a l'ombra d'un tamariu»), «Sóc un noucentista a la vista».
Vegeu també el capítol 1 d'aquest llibre.

Escriptures,[5] i d'actualitzar-ne alguns. I el poeta clàssic, per equidistància, esdevé l'arquetipus dels valors contraliteraris.

Dono ara la solució de les «Sis endevinalles» i anoto els coroHaris que el poeta dedueix de textos ben notoris:

La solució de la «I» és Eva que al paradís no era ningú, «ni mare ni mestressa», cal entendre abans del pecat. I els dos versos finals denuncien el masclisme de Jahvè o del redactor, car Eva era —vegeu el *Gènesi* 2,21-24—

> *Fembra només,*
> *només per a l'Home.*

La solució de la II és Josuè que, segons els autors sagrats, va parar el sol o la terra —vegeu *Josuè* 10, 12-14—, i l'única manera d'explicar-ho que el poeta troba és que devia tractar-se d'una sessió de cinema:

> *senzillament, que el ceHuloide*
> *—allò que passa—*
> *es va trencar.*

Observeu una vegada més la tècnica de Pere Quart d'emprar prosaismes i fets quotidians —quotidià era en aquell temps, sobretot als cinemes de barri, que la peHícula es trenqués durant la projecció i la imatge en moviment s'aturés— per tal de contradir les «grans veritats».

La solució de la III és Job —vegeu *Job* 2,8— actualitzat, que en la seva desgràcia absoluta

> *... li resta un bon consol: la penya*
> *de tarda amb els amics.*

5. A *Allò que tal vegada s'esdevingué* (1936), comèdia de Joan Oliver, també es troba desenvolupada aquesta tècnica seva, car construeix el món d'Adam i Eva, i el de llurs fills, deduint-lo a partir de les Escriptures, i allò que narra és «allò que *segurament* s'esdevingué».

Aquí els prosaismes són plagis de la mateixa Bíblia. Respecte a aquests dos darrers versos, vegeu *Job* 2,11-13.

La solució de la IV, escrita en forma de diàleg dramàtic, és David —vegeu *Segon llibre de Samuel* 11,2-17— també actualitzat i on el segon membre del vers penúltim apunta la justificació legal dels crims del poder d'avui i de sempre: «Avui mateix. Raons d'Estat.»

La solució de la V és Jonàs —vegeu *Jonàs* 2,11. Aquesta endevinalla és com un còmic curt on a l'humor s'uneix la ironia. La imatge grotesca —«de tant en tant escup xanguet»— evoca, en el context, la vigència de la llei del més gros.

Paràgraf a part mereix la VI i darrera endevinalla, la solució de la qual és Dante Alighieri. Aquí, a més de la referència a l'*Infern*, i la presència del poeta clàssic, cita un espectacle, una exhibició, una escola artística i un iŀlustrador. El poema és narratiu, i encara que el metre és irregular, l'argument podria ser el d'un romanço. Dante, en morir, va a l'infern i no hi troba ningú, només rep la visita de Gustave Doré, el de les iŀlustracions pomposes de l'avern dantesc. Aleshores Dante perd l'esperança que acudeixin espectadors i, com si es tractés de l'espectacle d'una fira,

> *Despenja el rètol,*
> *passa la balda,*
> *apaga el foc.*

La solució de l'endevinalla ja es percep al vers 4, «l'infern del qual fou comediògraf», en trobar-se el subjecte d'aquesta oració als primers mots del poema: «El poeta». Pere Quart emparenta l'obra de Dante no solament a la de Gustave Doré sinó també als monstres del carnaval de Niça —monstres semblants als de les falles de València— i a les figures de cera del Musée Grévin, és a dir, amb l'art negre mancat d'humor, ridícul, i amb tots els excessos de la plàstica i la literatura:

> *Resulta tot tan modernista*
> *i tan inhabitable*
> *com ell ho imaginà;*

i continua:

> *i és feliç per això:*
> *vanitat dels poetes.*

D'aquesta endevinalla, bàsicament contrapoètica i que evidencia l'extemporaneïtat de la creença en l'infern, hom pot treure'n dues conclusions: que les coses solen ser com ens les imaginem i que els poetes estan sols com Dante, el bard per antonomàsia.

Continuant amb el mètode de dividir en seccions el contingut de *Vacances pagades*, assenyalo ara la tercera, que consta de tres poemes nadalencs. Crec que puc confirmar que Nadal és un dels temes dominants de Pere Quart a la recerca de si mateix i de l'home, i que això es va concretant en la figura del Crist, l'únic caràcter universal del gènere humà en la seva poesia,[6] perquè és revolucionari davant la llei i l'autoritat. Ara bé, només el primer d'aquests tres poemes —«Bones festes»— té pròpiament aquest fons. I mentre que a tots ells hi ha al·lusions al present històric, els altres dos —«Pregària de gener» i «Christmas»— encarnen el seu primer trencament del silenci líric. Pere Quart, amb el material de la circumstancialitat, inicia amb ells la poesia social.

«Bones festes» és un poema de versos decasíl·labs i rima blanca, dividit pel diàleg entre dos poetes. El recitatiu del primer poeta consta de tres estrofes, la primera i la tercera enllaçades per la imatge dels àngels que canten el conegut «Glòria a Déu en les altures...»,

---

6. Joan Fuster al seu llibre *Literatura Catalana Contemporània*, Curial, Barcelona, 1972, diu de Pere Quart: «Oliver encara guarda entre les seves conviccions una resta de cristianisme insatisfet», però no assenyala l'aspecte positiu del Crist, que va ser un revolucionari en el sentit estricte del mot.

amb l'incís irònic: «(Música d'arpes)», per després callar. Callen en haver escoltat o vist la trista història del Crist, dita en plural, que aixi evoca la història de tots els revolucionaris, a qui, el primer poeta, compara indirectament als «Déus», Déus amb majúscula per distingir-los dels «déus antics», amb minúscula, que peroraven a la Decapitació XXV. Éssers humans —els «Déus»— per excel·lència, i que en la terra «són infeliços», a la manera del Crist, a qui no anomena precisament perquè tota la segona estrofa de tretze versos resumeix la vida d'ell per mitjà de la dels revolucionaris. Per la seva originalitat d'humanitzar les Escriptures la transcric íntegra, i també com a exemple del que avui es titula poesia exteriorista, el major representant de la qual és Ernesto Cardenal.[7] Altrament em sembla innecessari, per suficientment conegudes, citar les fonts evangèliques:

> Neixen de pas en un racó de porxo;
> fugen, com tu o com jo, de l'amenaça.
> Llur minyonia és mansa, sense joia.
> Viuen del furt com els ocells campestres
> (o alguna patrici esnob se'ls posa a taula);
> paguen l'impost a base de prodigis,
> prediquen la llei nova, es fan malveure
> dels mestres, com dels rics i dels gendarmes
> (de res no els val guarir, tornar la vida!);
> parents i amics els han girat l'esquena
> i a mitja edat acaben a la forca
> a semblança dels lladres homicides.

7. Hom anomena poesia exteriorista la construïda sobre textos, cròniques, articles i altres documents, actuals o històrics, i treballats a fons fins a produir el poema. Pere Quart ja s'havia avançat a Ernesto Cardenal amb passatges exterioristes, com hem vist especialment en els seus poemes bíblics, i quan va publicar «Bones festes» el poeta de Nicaragua encara no havia imprès els *Salmos*, que n'és un exemple clar. De tota manera hi ha diferències fonamentals entre els dos poetes. Pere Quart, a més de ser agnòstic, només utilitza l'exteriorisme com una de tantes tècniques poètiques a l'abast, no pas com la principal.

Però l'escepticisme de Pere Quart no és absolut i per això acaba el poema amb una esperança ambigua —«Un matí de Nadal, quan era jove...»— que lliga amb aquell jove o vell rabadà de mil nou-cents setanta anys de «Racconto», donant així unitat a tota la història dels darrers dos mil anys.

Els altres dos poemes —«Pregària de gener» i «Christmas»— ja he apuntat que signifiquen una projecció més clara d'allò en què tots els crítics estan d'acord, el realisme històric o la poesia social. D'aquestes dues expressions prefereixo la segona, car tant el terme de «realisme» com el d'«històric», en aquesta comprensió, són massa febles, sobretot associats.[8] I parlo de projecció perquè es tracta d'uns passatges poètics amb imatges i idees directes, que el poeta aporta conscient que són invents concessius [9] que poden agilitzar el producte verbal, en permetre's la comunicació conversacional amb els lectors i arribar al sarcasme, que ell mateix defineix com «la forma més barroca del moralisme».[10]

Així i tot, el mestratge lingüístic de Pere Quart, del qual cap crític no gosa dubtar, i la llarga evolució del seu pensament, guiada per l'autocrítica, fan que el missatge, també en aquest tipus de poemes, s'enriqueixi, car la seva poesia social no és un substitut de la lírica, sinó un model d'aquesta que produeix dos nivells de comprensió, un d'ells més fàcil de copsar per la imme-

8. Pere Quart és el primer d'afirmar la inexistència de la veritat històrica, mentre que referint-se a una poesia diu: «Sense el poder de mentir l'home seria un esclau de la immediata realitat sensible.» (Vegeu Joan OLIVER, *Tros de paper, op. cit.*) Si aquesta és la seva pràctica, allò que produeix en poesia no pot ésser realisme històric, en tot cas serà poesia social, art sobre la condició humana, de l'home que és social i d'engendrament.

9. En especial en les funcions referencials i emotives, és a dir, en la relació del text i les seves referències, i en la relació entre l'autor i allò que diu.

10. Vegeu Pere QUART a «Excuses», pròleg a *Circumstàncies, Obra poètica, op. cit.*

diatesa de la figura poètica que empra. Però no oblidem que un dels aspectes més peculiars de la producció de Pere Quart és la profunditat dels seus prosaismes, d'aquí que hom pot parlar, al capdavall, de la unitat de sentit en l'equilibri d'allò prosaic i d'allò líric.

Un dels poetes que més s'assembla en això a Pere Quart és Nicolás Guillén.[11] Malgrat les diferències geogràfiques, històriques i culturals, hi ha un paral·lelisme en les seves vides poètiques. Són de la mateixa generació, viuen —les proporcions guardades— la guerra espanyola, coneixen l'exili, els crítics els classifiquen de poetes socials, la intel·lectualitat internacional tarda a valorar-los i ho fa amb reserves, dominen i empren la llengua escrita, culta, col·loquial i vulgar segons calgui, incideixen en les generacions més joves i són populars. La distinció històrica entre els dos es dóna precisament a partir de l'any 1959 —any en què Pere Quart guanyà el premi Ausiàs March— quan Nicolás Guillén torna a Cuba a treballar en la consolidació de la Revolució, tasca que continua fent avui, mentre que Pere Quart, persona «non grata» i temuda pels mandataris,[12] continua vivint a contracorrent i esdevé el primer poeta social de Catalunya, assenyalant una pauta de profunditat, iniciada dins aquesta línia en l'*Oda a Barcelona*, que molts poetes han intentat assolir.

En llegir «Pregària de gener», a propòsit de la festa de l'Epifania, trobem expressat el materialisme en l'es-

11. Una diferència que vull fer notar entre Pere Quart i Nicolás Guillén és que aquest no ha estat tan autocrític, per raons culturals i socials que no són del cas. Al mateix temps he de deixar constància que el poeta cubà també produeix els dos nivells de comprensió i la profunditat que mencionava a propòsit de Pere Quart. Poso un exemple: a «No sé por qué piensas tú» (*Cantos para soldados y sones para turistas*, 1937) basa la rima en els pronoms personals «*yo*» i «*tú*», amb la qual cosa a més d'aconseguir un missatge d'igualtat vers a vers, emfasitzant la individualitat de l'home, dóna un sentit d'urgència davant la necessitat d'unir-se en la lluita contra la injustícia.

12. Que no aconseguís el passaport —que havia sol·licitat tres vegades— fins després de la mort de Franco, n'és una prova.

tampa dels «Tres/Viatjants de Comerç» que salven la «Cristiandat» de la misèria i són el símbol de la «sagrada àrea del dòlar» a la qual s'ha de convertir encara molta gent que va errada de comptes. Aquest és el motiu de la pregària del títol, repetit en llatí al vers 11: «*Oremus...*». Aquí hom fa al·lusió, d'un extrem, a l'Epifania original, i de l'altre, al neoimperialisme d'Estats Units que «salva», i va salvar, l'economia franquista de la bancarrota.[13] Per cert que aquesta és la primera cita en la seva poesia de la geografia i la «ideologia» del dòlar.

Al darrer poema d'aquesta suposada secció, «Christmas», versos com «plantem un arbre sense arrels» i «fer miracles no és pas cosa de sants» són fets verídics, símbols del nostre temps, com el sarcasme:

> *pels christmas de tres tintes*
> *s'endeuten els pobres.*

I al voltant d'un títol i neologisme equívoc, car en anglès «christmas» significa simplement Nadal i de cap manera felicitació.

I a la penúltima estrofa de dos versos, sense abandonar la descripció d'aquestes festes, recorre a un dels motius tradicionals per denunciar, amb llenguatge xifrat, un altre fet verídic:

> *I amb el pretext dels Reis*
> *degollarem tants innocents com calgui.*

car, a part de la referència evangèlica de la matança dels Innocents i la forma amb què es festeja l'Epifania amb la degollació psíquica dels Infants, hom pot inferir la relació del mot «Reis» amb el de monarquia i,

13. És cosa sabuda que a part dels pactes a nivell estatal, va haver-hi sectors financers dels Estats Units que concediren crèdits, sense exigir garanties, a Franco durant la guerra espanyola. Així la Texaco. Vegeu Hugh THOMAS, *The Spanish Civil War*, Pelican Books, Londres, 1968.

per parentiu, amb el d'oligarquia. Així, la rebel·lió del sector oligarca, al qual pertany el militar, d'Espanya el 1936, que pretextava la voluntat de reinstaurar la monarquia, va produir «la degollació de tants innocents com calia».[14]

2. «LA TERRIBLE CORDURA *DEL POETA*» [15]

A partir de «Joc», poema número sis, el poeta enllaça amb el primer, la «Cançoneta noucentista del mal camí», i inicia així una sèrie de poesies que tenen per centre el jo autobiogràfic, i al mig d'aquesta sèrie hi ha com una secció intercalada de cinc poesies seguides que comença amb «Confidències a Antonio Machado» i acaba amb «Savis, poetes, homes feliços, dones del poble malmenjades», on el jo del poeta es manifesta especialment respecte al fet de ser-ho i a la poesia, mantenint el nou estil de trencar el profund corrent líric amb prosaismes i sarcasmes.

Pocs són els personatges a qui Pere Quart, fins ara, ha dedicat un poema sencer [16] i tanmateix aquí en pro-

14. És significatiu que a la primera edició deia «Innocents» amb majúscula, posant èmfasi en la imatge evangèlica. Ara, en canvi, dient-ho amb minúscula, equilibra la intensitat de sentit de la metàfora amb la imatge històrica.

15. *La terrible cordura* del poeta» estrofa i vers final del poema «Confidències a Antonio Machado», és una cita canviada del poema «El loco» del poeta castellà (vegeu A. MACHADO, *Poesías*, Losada, Buenos Aires, 1958), que diu *«la terrible* cordura *del idiota».*

16. A Pere QUART, *Obra poètica, op. cit.*, i també els darrers llibres, *Quatre mil mots*, Proa, Barcelona, 1977, i *Poesia empírica, op. cit.*, se'n poden llegir diversos, però mai no ha reeditat «Christmas de Picasso» que va publicar a la secció *Altres poemes* del llibre de 1963, Pere QUART, *Obra, op. cit.* Aquest té una novetat tècnica, el poeta parla com si fos Picasso, en primera persona, i no menciona ni un sol cop el seu art pictòric, i sí, en canvi, el seu art de viure allunyat. El poema acaba dient: «... estel que agonitza / lluny de tot, / ai, ai, ai, ai!». (Porta la

dueix tres sobre tres poetes, amb una inserció contra-literària i un altre poema on dibuixa arquetipus humans i acaba amb una proposició incidental de to positiu. Són els versos finals de «Savis, poetes, homes feliços, dones del poble malmenjades»:

> (*Hi ha alguna cosa, ànima meva,*
> *algun secret*),

on «ànima meva» repeteix la imatge del seu altre jo del poema d'aquest títol a *Terra de naufragis*. A aquesta constant «misteri»-«l'altre jo», al poema que ara comento, només l'arquetipus de la dona es salva de la roïndat vital dels altres arquetipus: descriu els savis com «caçadors i cuiners d'idees mortes», els poetes com «aeròfags» i els homes feliços amb el sarcasme «donen lleis a la fe i a la misèria/(dels altres)».

Ara bé, a la penúltima estrofa el poeta deixa de menjar aire, i sent de nit, a l'igual de les dones, «un bruel impossible subterrani» i «el reclam d'un ocellàs anònim», ocellàs que ja hem vist que són les arrels del poeta, absolutament natural per a les dones, no pas per a ell que ho atribueix als nervis.

Intercalat entre aquests poemes trobem «Codicil de poeta» on el bard serenament llega als homes tres quefers, tot repudiant la literatura. Dos d'ells coincideixen amb els que el «Poder», en un poema anterior, ordena al possible pare de l'home, el ximpanzé, que s'hi dediqui: menjar i fornicar (vegeu «Aquella bèstia»). En el tercer el poeta i el Poder no estan d'acord. El Poder mana al ximpanzé que dormi; el poeta, en canvi, ens llega la rebel·lió contra tota tirania: «pensar (creure o dubtar)», mentre que el Poder insisteix a «Aquella bèstia», vers 35: «El primer: no pensaràs!».

Tot plegat, el poeta en el seu «codicil» completa i

---

data de Nadal de 1962.) És evident que a molts ens sorprenia la manca de projecció de la ideologia oficialment socialista de Picasso.

simplifica la fórmula vital, desoint qualsevol autoritarisme i invitant l'home a fruir del temps i de l'espai.

Sota aquest prisma comentaré ara els altres tres poemes annexos, dedicats a Antonio Machado, Carles Riba i Joan Maragall, tots tres ja extints, i a qui Pere Quart humanitza i s'adreça de forma col·loquial, fins i tot a Maragall a qui tracta de vostè, que no és pas el tractament més català.

«Confidències a Antonio Machado» conté quatre citacions del «melangiós oracle de Castella», una de Verdaguer i una altra d'Ausiàs March. El poema es pot dividir en dues parts. La primera —les cinc primeres estrofes— on el poeta parla únicament a Machado, i es lamenta del temps present. Li explica la nostàlgia de l'exili, com si l'hagués retrobat a Barcelona, d'on tots dos varen partir ensems cap a França, i és quan cita els darrers versos de «L'Emigrant»:

> «més ai! tornau-me en terra,
> que hi vull morir.»,

que contrasta amb la premonició que transcriu del poeta castellà mort en terres catalanes de l'estranger: «morirse es lo mejor».[17] Pere Quart li recorda que Cotlliure és Catalunya fent seves les paraules del vers de Machado, «(¡oh soledad, mi sola compañía!)»,[18] i també amb mots d'ell defineix diacrònicament el moment històric —«la amargura del tiempo envenenado»—[19] que és el temps de quan Machado ho va escriure, el temps de quan García Lorca va dir a Pere Quart que els catalans eren «nuestros hermanos extranjeros»[20] i el temps de quan el nostre poeta escriu la citació. Per tant no

17. Darrer vers de «Sonaba el reloj la una», vegeu A. MACHADO, Poesías completas, op. cit.
18. Vers 1 de «Los sueños dialogados», IV, vegeu ibidem.
19. Vegeu «Muerte de Abel Martín», V, vers 4, a A. MACHADO, Abel Martín y prosas varias, Losada, Buenos Aires.
20. Vegeu Miquel ALZUETA, Yo declaro (conversación con Pere Quart) a «El Viejo Topo», núm. 47, agost de 1980.

sorprèn el pronom «nostra» del vers tercer que diu que va enyorar «la ciutat més nostra», malgrat que Machado no va demostrar en vida un interès especial per Catalunya. Això indica, sense cap dubte, trobades entre tots dos i alguna possible confidència d'Antonio Machado, i al mateix temps l'evocació de Barcelona i la Revolució en lluita, pel triomf de la qual tots dos treballaven.

A la segona part del poema, a partir de l'estrofa sisena, Pere Quart ja no s'adreça exclusivament al poeta castellà, sinó a aquells que simbolitza:

> Que avui, de dins estant, oh germans espectrals,
> enyoro foscament, sense remei,
> tot el que he retrobat,
> la presència envilida de l'amor.

Explica als morts de la guerra que, com ells, enyora la presència absent de la Catalunya revolucionària. La penúltima estrofa la centra, aleshores, en l'expressió, que repeteix, d'Ausiàs March, «fora seny», és a dir, foll d'amor per aquesta Catalunya impossible, la qual cosa li permet d'afirmar: «sóc el cretí del poble». La vuitena i darrera estrofa consta d'un sol vers, on substitueix lògicament el mot «idiota» pel de «poeta», «la terrible cordura del poeta».

Crec que val la pena veure la connexió dels versos finals d'aquests tres darrers poemes que he comentat: «La terrible cordura del poeta», «hi ha alguna cosa, ànima meva,/algun secret» i «la resta és literatura», que així units sembla que declarin que el seny de qui creu en el misteri abraça allò vital i inassolible, i menysprea l'àmbit literari.

Això lliga amb el poema «Mort de Carles Riba», quant a la vida i a la literatura, i amb «Cent anys de Joan Maragall» quant a la inassolible nova Catalunya, «la presència envilida de l'amor».

«Mort de Carles Riba» és un poema contrapoètic d'on surt enfortit l'home, l'amic, que era Riba, i precisament per això «no es presta a cap reticència», com ha escrit Carles Miralles [21] amb una altra intenció. Carles Riba va ser el màxim poeta culte de la literatura catalana i, tanmateix, Pere Quart no cita cap passatge de la seva producció, i el descriu, no sense ironia, com el cap de colla:

> Si tu no hi ets, a qui m'adreçaré?
> Si tu no hi ets, qui ens jutjarà?

Un líder professional a qui ja havia dedicat un poema el 1935, «Lo somni»,[22] on Carles Riba i un deixeble, «un jove encara difunt» —observeu la paradoxa d'«encara»— naveguen en una illa, símbol de la desconnexió literària. Per això, ara, amb la mort del cap intel·lectual, Pere Quart recalca amb tres frases admiratives la fal·làcia de la lletra davant la vida:

> Estantisses són les paraules escrites!
> I falsos, falsos, els poemes!
> Si els llibres, tots, només esperen
> crepitar entre flames
> i heure un minut de vida viva!

Després menciona els coetanis i seguidors atribuint-los un aforisme càustic, i em sembla que bíblic «(val més gos viu que lleó mort)», on el mot «lleó» defineix la capitania de Riba, per després, a la darrera estrofa, prendre un to líric, amb la paradoxa «... començo d'oblidar-te/per fer-me teu», i amb la imatge del «nàufrag feliç» —de «Terra de naufragis»—, la de l'«espectre» —de «Confidències a Antonio Machado»—, i la idea de la «pau inimitable» que és la mort. Però, al contrari de «Lo somni», on el rep una gentada, Riba s'ha tornat «inconegut en una i altra riba», on la significació de l'homògraf «riba» com darrer mot reforça la idea

---

21. Carles MIRALLES, *Lectura de les «Elegies de Bierville» de Carles Riba*, Universitat de Barcelona, 1979.
22. Vegeu la secció *Poemes inèdits* a Pere QUART, *Obra poètica, op. cit.*

132

que, al capdavall, l'únic valorable del «lleó» literari és el seu ésser vital, l'home que era.

Deu anys més tard, Pere Quart confirmarà aquesta convicció contracultural i empírica en l'«Epitafi reblat»[23] que porta el lema «En el desè aniversari de la destrucció de Carles Riba» —observeu el valor de la paraula «destrucció» referida al que he dit abans. El poema sencer diu així:

> Espolsa't, tomba fútil, els llorers i les flors.
> L'Arbre fou abatut i no era temps. Fugim!
> Encara ens acredita més recança, més plors:
> fugim d'aquella mort massa greu com d'un crim.

Tomba, llorers i flors són no-res. Desmitificat, només queda l'home que era, la metàfora «Arbre». Veiem, doncs, que hom no pot parlar de reticència envers Carles Riba, i menys encara si ens adonem que, com a home, l'identifica amb els anònims «germans espectrals», en dir «no era temps» i en acabar amb el mot «crim». És més, el silenci poètic de Pere Quart sobre l'obra de Riba s'ha d'entendre com la més justa valoració d'aquesta.[24]

Ben diferent de contingut és el darrer poema dedicat a un poeta. El títol, que correspon a la commemoració del moment, només exposa el motiu d'aquesta, «Cent anys de Joan Maragall», que s'acomplirien el 1960.

El poema es pot dividir en dues parts: la primera, fins al vers 65, és un muntatge de citacions, paràfrasis i escolis de l'obra de Maragall. La segona part va del vers 66 fins al final, el 83, i en ella Pere Quart, característicament, s'adreça a «Don Joan», i ho fa de vostè,

---

23. Vegeu Pere QUART, *Obra poètica, op. cit.*
24. Abans d'escriure aquest epitafi, Pere Quart va escandalitzar els crítics en escriure: «Trobo més *poesia* en una simplicíssima cançó d'en Raimon que en una densa i sàvia elegia de Carles Riba.» (Vegeu *Notes provisionals sobre poesia, ibidem.*) No cal dir que això és un gust i una actitud de Pere Quart que no té res a veure amb una valoració «objectiva».

que a Catalunya és el tractament cerimoniós propi del sector social que he assenyalat, en comptes de vós que fóra el més normal entre els homes de lletres.

A la primera part Pere Quart destrueix la imatge o el mite maragallià per mitjà de la poesia d'aquest i de l'article *La iglésia cremada* (18 de desembre de 1909),[25] al qual es refereix, com també a l'«Oda nova a Barcelona»,[26] als versos:

> *I me n'adono:*
> *cantà anàrquicament*
> *la ciutat anarquista!*

L'article de Maragall deia: «Una certa semblança que les sectes antisocials tenen amb la primitiva església cristiana», i a un altre lloc: «Ells seguirien el Crist no pas nosaltres», essent «ells» els anarquistes.[27]

Transcric aquí els principals exemples de les referències del poema de Pere Quart a l'obra de Maragall que situen a aquest en un nou context:

> *No hi ha res com veure el sol,*
> *el sol, la solellada estupradora,*

paràfrasi del que Maragall diu a «Soleiada»: «va ficarse-li el sol a les entranyes», a propòsit d'una donzella que d'aquesta feta quedà prenyada per l'astre rei.

> *L'amada és una flor*

25. Aquest article que Maragall va escriure a propòsit de la Setmana tràgica, i que fou censurat, és una mostra del liberalisme d'alguns conservadors. Respecte als fets i a la història de l'article, vegeu Josep BENET, *Joan Maragall i la setmana tràgica*, Barcelona, 1961.

26. Vegeu Joan MARAGALL, *Obres completes*, Selecta, Barcelona, 1960-1961.

27. Quan P. Q. escriu «cantà anàrquicament» hom pot entendre dos sentits: que ho fes un burgès i que Maragall escrivia un català anàrquic, és a dir, incorrecte després de Verdaguer.

és una cita literal de «Diades d'amor» II.

Una planta l'esposa

és un escoli del que Maragall va escriure a «Conjugal»:
«I ets com el cep que duu la dolça carga».

Veig flors i penso en tu

és la descripció del primer vers d'«Enviant flors».

La mort, ponent dolcíssim

és el primer i darrer vers d'«En la mort d'un jove».

La quarta estrofa ens dóna una interpretació justa del famós «Cant espiritual», i amb els mots «acceptaríem», «accessoris» i «parament» manté el to irònic. A l'estrofa cinquena, cita primer el «Credo», l'últim vers de «La fi d'en Serrallonga», bandit que, segons Maragall, es penedeix dels seus pecats abans que l'executin, per afegir: «Dic de la carn! / Em sents, botxí?» Pere Quart, amb aquests versos, mostra el seu escepticisme i ressalta la presència del botxí que Maragall mai no qüestiona, de la mateixa manera que aquest, ingènuament, mostra l'obsessió del benestant que desitja, a més de tenir els papers en regla, que la mort sigui tan esplèndida com la vida que li ha tocat viure —recurrència del «Cant espiritual». Maragall ho indica en els darrers versos de «La fi d'en Serrallonga»:

> —Moriré resant el Credo;
> mes digueu an el botxí
> que no em mati fins i a tant
> que m'hagi sentit dir:
> «Crec en la resurrecció de la carn».

Pere Quart, és clar, patentitza les contradiccions maragallianes. Quan el cita al vers 34: «Au, companys, enarborem-la!», que és el vers 4 d'«El cant de la Senyera», himne de l'Orfeó Català, denota que això no s'avé amb «la fe dels avis [que] desaconsella bombes». «El llit tempestejat» —els somnis eròtics de Maragall— que encavalca amb la moral que el limita, «dels amors lícits». «Del sometent i home de Brusi», és a dir, partidari del cos de gent armada que no pertany a l'exèrcit, creat contra els lladres i usat contra els treballadors, i d'altra banda col·laborador del «Diari de Barcelona», castellanitzat per en Brusi i sempre castellanitzant. *«Pura criatura de la Providència»*, en cursiva perquè descriu l'ideal de Maragall, i a Maragall mateix, «a qui tempten i exalten/tan misteriosament» els valors escondits dels següents arquetipus socials: el «frare diabòlic» —Fra Joan Garí, seduït per Ríquilda—, el «comte rèprobe» —el comte Arnau que copulava amb l'abadessa Adalaisa— i el «bandit amb concubina!» —Joan Sala i Serrallonga i Na Joana.

La fantasia —i ideologia— de Maragall, que com hem vist arribava a ser anarquitzant en un moment donat, té les arrels, segons es dedueix de la poesia de Pere Quart, en la condició inapel·lable de patriarca:[28]

> ... *la bona vida bona*
> *ens sorprèn cada dia*
> *per la primera i dolça volta.*

La segona part del poema conté dues idees centrals que arrodoneixen el retrat psicològic més complet que Pere Quart produeix al llarg de tota la seva obra poètica. La primera, que tot parlant-li de vostè i dient-li Joan a seques, assenyala la seva manca de cautela, la diafanitat que traspua la seva obra clarament classista, i això ho transforma en un elogi sarcàstic, en comparació del bluf, les trampes i els silencis de la poesia actual.

28. Remeto a qui vulgui fer un estudi de la poesia en relació a l'alta burgesia, al poema de Maragall «La muller», estrofa quarta, segurament inspirada en les serventes de casa seva. Vegeu «La fi del del comte Arnau», a *Obres completes, op. cit.*

La segona idea consisteix en el fet que després d'insistir en la seva «diafanitat», i de passar a anomenar-lo «Don Joan», fembrer, almenys mental, apunta a una valoració de la poesia de Maragall absolutament contrària a la que fins ara s'ha fet: «Al capdavall som bàrbars», és a dir, som grossers i ens manca la complexitat de la gent civilitzada, que sap amagar el seu primitivisme i els seus privilegis.

L'interès d'aquest poema de Pere Quart, a més del retrat i desmitificació de Maragall, radica en el seu encarar-se a un sector social de la Catalunya intrínseca que, mancat d'evolució, manté uns valors socials i literaris que col·laboren en l'estancament de l'home. Heus aquí «*la terrible cordura* del poeta», anacrònica en Maragall, pro-revolucionària en Pere Quart.

3. VACANCES PAGADES: *LA HISTÒRIA, L'HOME I LA BÈSTIA*

Com he fet fins ara, en organitzar el comentari dels reculls de Pere Quart, continuaré basant-me en el missatge central concatenat a la forma, i, així, els quinze poemes restants els divideixo en dues seccions més. La primera reuneix els poemes més aviat conceptuals: dos d'actualitat històrica —«La croada» i «Cobles del temps»—, un de prehistòric —«Aquella bèstia»— i tres d'ideològics —«L'amor de l'home», «Lletania» i «Hi ha coses massa pures». La segona la tractaré al pròxim capítol i la formen nou composicions egocèntriques, entre intimistes i líriques en sentit estricte, però amb una fesomia nova, esotèrica, que correspon a allò que ja havia escrit l'altre jo del poeta, que, quan el tema ho requereix, trenca «les cadenes de la formalitat».[29]

29. Vegeu «Epíleg a Obra de Pere Quart» a Pere QUART, *Obra poètica, op. cit.*, on també diu que això és una prolongació de la seva línia poètica.

El títol «La croada» evoca immediatament la guerra espanyola, l'única croada de la història moderna, en la qual venceren els suposats croats. El poema sencer és un *crescendo* que parteix d'un ambient ordinari, casolà, de diumenge. Els protagonistes són els barons que, «bròfecs com els herois en crisi», marxen a complir el seu deure, i en el camí van trobant altres croats. Ens sorprèn llegir que l'enemic és la pluja. Aleshores hom s'adona que el poema està muntat sobre l'actuació d'aquest personatge individual i col·lectiu a qui a més de «croat» li aplica l'adjectiu «catòlic» amb precisió històrica, i tota l'energia i decisió que desplega la manifesta en quatre versos:

> com
> un
> sol
> home.

Amb aquesta figura sinecdòquica de la unió física i moral de totes les parts no clou el poema. Hi ha un vers més, el darrer, clau que canvia el valor de les accions fins aquell moment, en evidenciar que es tracta de l'anada al futbol dominical: «van a l'estadi nou, van a l'estadi». I així totes les imatges anteriors guanyen un sentit distint sense perdre el que tenien abans.

Quant al tema de la unanimitat, aquí comprensible però malaguanyada, Pere Quart escriurà anys més tard un poema sobre l'aspecte paradoxalment positiu de la unió dels homes:

> *la implacable eficàcia*
> *d'un* no
> *just, compacte i unànime.*[30]

---

30. Vegeu «Poble meu» del recull *Circumstàncies*, a Pere QUART, *Obra poètica, op. cit.*

138

Quant al futbol, el 1963 va escriure el «Nou sonet del camp nou»,[31] un contrasonet a l'escrit per J. M. de Sagarra retribuït amb cinquanta mil pessetes en concepte d'honoraris. Pel seu interès en relació a la dita actual que el Barcelona es més que un club, els transcric. Primer el de Sagarra:

BLAU I GRANA

Oh, ciutat meva que la vida em prens
—i ets més meva i menys meva cada dia—
avui, amb blau sofert i amb grana intens
estàs pintant tot l'aire d'alegria.

S'obren les portes de l'estadi immens,
fet a l'amplada que el teu cor volia,
i el que és fill teu, i el que no ho és, sorprens
amb l'aplom de la teva senyoria.

Avui de roig de sang i blau de mar
vesteixes l'arrogància muscular
que excita i embriaga i abraona;

i avui això que és glòria i febre i crit,
només té un sol amor i un sol sentit
i una sola paraula: BARCELONA![32]

El de Pere Quart, «contrasonet del Camp Nou», diu:

Atletes d'oficina, gladiadors de bar,
sedentari ramat d'hereus de Grècia i Roma,
laietà ventrallut que fred i pluja entoma,
tants com els grans d'arena o les ones del mar,

31. Recollit a la secció *Versos anecdòtics*, vegeu *ibidem*.
32. Vegeu J. M. de Sagarra, *Obres completes, poesia*, Selecta, Barcelona, 1962. Aquest sonet el va escriure el 1957 per encàrrec de la junta directiva del Futbol Club Barcelona.

han bastit el nou temple del culte muscular
on oficien bípedes de ment fogosa i soma,
que s'apliquen a veure qui encoixeix o s'eslloma
i a fer la guitza a guitzes a l'enemic més car.

Avui que s'hi congrega l'església innumerable
—si no pels déus ungida, dopada pel diable—,
estiba udoladora de carn racional,

proclamarem atònits: «Han arribat els dies
que en l'esperit del poble, ja quiti d'heretgies,
s'ha obrat el gran miracle de la fe universal!»

Aquest adotzenament de l'home i del poble l'expressa també d'una manera directa, per qui conegui la història recent del nostre país, a «Cobles del temps». La claredat de les imatges i el to prosaic podrien fer pensar en un material anecdòtic, i no és així. L'explicació és que el poeta s'emmotlla a allò que descriu i empra un llenguatge i una forma tan banals com grossers; és la realitat del verticalisme autoritari dels anys cinquanta. Són els anys quan definitivament, no només Catalunya, sinó tot el món hispànic, s'enfonsa, continuant en el menyspreu dels drets de l'home, sobretot econòmicament i educacional. El verticalisme autoritari ens aferma en colònia dels països neoimperialistes i servents de l'Europa de la postguerra. El poeta n'és conscient i ple de ràbia abandona tota pretensió de lirisme i amb l'eina del seu treball escomet contra els corrents històrics. És bo de recordar que, si un poeta no es defineix davant el poder públic, aquest el pot emprar per als seus interessos. Pere Quart, amb ràbia i sorna, es declara enemic dels qui manegen la cosa pública i del seu bastiment. L'únic positiu del poema és el silenci líric, allò que no menciona: la República i la Revolució frustrades que silencia entre les estrofes 3 i 4.

És a partir de l'estrofa 4, i fins al final, que es refereix pròpiament als fets dels anys cinquanta.

A la primera el «cantaria, si pogués» té un doble

significat: una al·lusió a la censura i el fet que no pot identificar-se amb el seu temps. La segona estrofa resumeix dos fets ineludibles: la inevitabilitat de la geografia i els errors de la història. A la tercera ridiculitza els joves benestants de principis de segle, els poetes Guerau de Liost, Josep Carner, Tomàs Garcés, i també ell mateix. El mot «lluïsos» fa referència a la congregació de sant Lluís Gonçaga que atreia els joves rics i catòlics. Com he dit, a partir de l'estrofa quarta el poema descriu la dècada dels cinquanta. A aquesta estrofa «cabró» s'ha d'entendre adreçat al dictador. A la cinquena relaciona la unió europea-occidental amb la innovació de la missa de tarda, considerada per l'Església com una audàcia progressista i mal rebuda pels tradicionalistes. La sisena presenta el servilisme dels personatges que feien la gara-gara al dictador. La setena es refereix al 26 de setembre de 1953 quan el «Cap Gros» —Ike Eisenhower— va salvar definitivament el dictador «mentre ens estafen en el pes» —llasts històrics encara vigents. En l'estrofa vuitena els «Cent sonets» d'Octavi Saltor i d'altres poetes de la plaça de la Llana certificaven, en imatges surrealistes de Pere Quart, que els ases orelluts volessin com els àngels, «i els banyuts», és a dir, els qui s'acomodaven a la dictadura i, fidels a ella, esdevinguessin «croats». A l'estrofa novena apareix un personatge clàssic, Pericles, per una comparació sarcàstica: havent embellit els monuments d'Atenes no arriba ni al turmell de Porcioles, alcalde de Barcelona nomenat amb el dit, que es va enriquir «per escreix» embellint i superpoblant la ciutat. El mot «sicalipsi» de l'estrofa desena vol dir brut, pornogràfic, barbarisme que es va popularitzar a primeries de segle després que un periodista analfabet el va estampar per Apocalipsi. El sarcasme final ens inclou a tots: «... amb puresa de cor/rumien i eixamplen els magnes pressupostos» que apunta a un dels eixos de la història, l'economia.

El poema de tema prehistòric, «Aquella bèstia», tracta del pare del gènere humà, el ximpanzé o goril·la, que, en baixar de l'arbre, paradoxalment va iniciar la decadència de l'home. Per això Pere Quart acceptaria una dictadura bona, profitosa per a tots, però ni la de Jahvè, ni la dels «déus», ni les humanes, han estat fins avui satisfactòries.

L'origen de la revolució, i de la lluita de classes, apareix en el sol fet que la bèstia «pensava i, per escreix, parlava». I aconsegueix somriure i despertar la memòria. Aleshores, davant un tal desafiament:

> El Poder ho sentia, se'n desficiava:
> «Qui m'ha traït?»
> (Això mateix: qui l'ha traït?)

Observeu la forma humorística de la proposició incidental que correspon al pensament del poeta i també al del possible historiador, i que posa de relleu la divisió de classes. El poema, però, continua en la línia prehistòrica, Jahvè és l'epicentre de la piràmide social i si és necessari, per sufocar qualsevol rebel·lió, «té a mà un Diluvi», la qual cosa, avui, és una premonició d'una guerra nuclear.

En aquest poema em sembla veure-hi el fonament de la ideologia del recull. Així, en el que el segueix, «L'amor de l'home», la descripció, que es basa en la «naturalitat» d'aquesta inclinació, diu: «... la puríssima natura/de la mateixa bèstia», després d'haver mencionat «la rel del gran desig».

A partir de la temàtica d'aquests dos poemes —la bèstia i l'home, l'amor i el poder— enllacem amb «Lletania» on afirma que tot és mentida, i, conseqüentment, acaba amb una estrofa d'un sol vers que és una conclusió-desig sofística: «Perquè la mort, quan ens remata, menti!» I d'aquesta manera s'adreça a un Déu possible, no el vigent, que si ens ha fet viure de mentides també pot fer que la mort en sigui una més. Dic que això és un sofisma perquè, racionalment, el corol·lari del regne de la mentida és que el «Senyor» sigui mentida, i la «mort» sigui veritat, però l'argúcia de Pere Quart demostra de nou que el valor central de la seva poesia és l'home.

Un altre poema ideològic és el titulat «Hi ha coses massa pures» que tracta de l'activitat de l'home com a poeta:

> *gosen inquietar les zones inefables*
> *amb triades paraules*
> *al capdavall estúpides.*

Els dos primers versos que acabo de transcriure són una de les més encertades definicions de poesia, però allò que preocupa al nostre poeta és la vanitat dels qui l'encarnen, que pretenen ser torsimanys —intèrprets— de muses inservibles, de déus sobrers o d'ells mateixos (versos 9 a 15), i

> *són ben ridículs*
> *en llur jactància.*

Pere Quart coneix bé el terreny per experiència pròpia, i tanmateix aquí, com a contrapoeta, no pot parlar en primera persona del plural, no s'inclou entre els poetes,[33] car ell, des del seu primer recull, ja havia refusat, com hem vist, recórrer a una musa o a un déu, parlar d'allò inefable, fer sucs celestes d'ell mateix i així ho havia expressat a «La Cita»: «mai no he pretès d'entendre cap misteri»; a la «Decapitació IX»: «llevo la testa de qui/em fou dea, musa i fada»; i a «Alçaré el crit»: «no he dit mai a ningú/el meu nom i el meu mal»; clares mostres, entre d'altres, de la seva consciència empírica.

La tercera i darrera estrofa de «Hi ha coses massa pures» confirma la teoria sobre el fonament ideològic

33. La distinció entre el poeta-poeta i el poeta-contrapoeta ha existit sempre: el primer és l'amanerat i el segon, el poeta pròpiament dit, el que trenca motlles i renova la poesia. I dins aquest segon tipus hom pot diferenciar encara entre els poetes que accepten valors heretats sense qüestionar-los, i d'altres, com és el cas del nostre, que els qüestionen absolutament tots.

que hom troba a «Aquella bèstia», car, com si demanés al ximpanzé que torni a pujar a l'arbre, ens convida al primitivisme, a la genuïtat, oblidats pel «Poder». Ara ja no es refereix merament als poetes sinó a l'home: «... parar les grans orelles» —imatge de l'home-ase— «i aprendre alguna cosa» de tot allò vital, i també dels «silencis animals/de l'home,/quasi impossible provatura» (versos darrers), amb els quals assenyala el valor i la dificultat d'aquest retorn a la vida més original des d'on podríem recomençar una història ben diferent de la que hem anat construint a les palpentes.

4. VACANCES PAGADES: *LA LÍRICA ESOTÈRICA*

Entrellaçats amb els poemes anteriors, n'hi ha nou que classifico d'egocèntrics perquè és l'autor qui els protagonitza i al voltant d'ell gira la narració o descripció poètiques. La forma continua essent variada, d'acord amb el contingut dels poemes, i el ritme té una articulació característica de Pere Quart.[34] És més, la seva manera de col·locar els mots segons els accents produeix un ritme capaç de mantenir l'estructura poètica al marge de la mètrica i la rima, la qual cosa li permet de no sotmetre's a motlles fixos.[35]

Quant a la temàtica, aquests nou poemes, als quals es podria afegir el primer, constitueixen la il·lació del llibre, a partir del «jo», és a dir, de l'ésser humà, i en el moment històric present.

34. El ritme de la poesia de Pere Quart mereix un estudi especial. Hi ha un article que tracta parcialment d'ell: Giuseppe TAVANI, *Foix, Pere Quart, Espriu: tres maneres de fer poesia* a *Actes del tercer col·loqui internacional de llengua i literatura catalanes*, The Dolphin Book, Oxford, 1976, on Tavani aplica el «segment rítmic» a la poesia de tots tres. Quant al «segment rítmic vegeu G. TAVANI, *Per una lettura «ritmetica» dei testi di poesia* a «Teoria e Critica», I, Roma, 1972.
35. Nicolás Guillén produeix una poesia d'aquest tipus, a la qual arriba per mitjà del «son», cançó popular cubana.

A «Lai»,[36] «la primera resposta amb ales», és l'amada viva que el salva «... d'una nit/ de ceguesa solitària», de «Les soledats» que visqué quan

> Moria lentament
> entre els meus braços.
> Al cel sutjós
> d'una ciutat nostra i estranya
> on tot era tardor,
> l'alba mentia,
> un altre cop mentia!

I mentia perquè l'alba era una aparença de llum que amagava la nit de la mort, car «Les soledats», un poema autobiogràfic, en sentit estricte, com ho és el de «Lai», tracta de l'amada morta en la ciutat desconeguda que és Barcelona, «ciutat estranya» per la circumstància històrica. El poeta, però, pot rescatar líricament, i al nivell de l'home, l'amada morta en la imatge final d'ella i del poema:

> però encara la cosa més bonica
> del món dels homes,
> feta a semblança i a despit dels déus.

Si «Lai» és la primera resposta viva a la soledat en nom de l'amor, en nom de la comunicació, la primera resposta viva la va trobar en el grup de joves que menciona Sergi Beser. Respostes que motiven una nova projecció lírica, una represa oberta, que, a partir de la publicació de *Vacances pagades*, incidirà progressivament en les noves generacions, les quals veuen en la seva poesia allò que Martin Heidegger apuntava de la de Hölderling,[37] que la poesia manifesta allò que no es pot trobar amb cap invent, de la mateixa manera que la bellesa és la revelació d'allò que ens és encobert. D'al-

36. Composició lírica medieval.
37. HEIDEGGER, M., *¿Qué significa pensar?*, Nova, Buenos Aires, 1958.

tra banda les noves generacions veuen en el nostre poeta l'implacable lluitador —i jugador— en tots els terrenys.

Així «Joc» és un poema que considera la vida i tota la seva complexitat impossible d'analitzar. En ell exposa una actitud rebel sobre una cita d'un vers de Cino da Pistoia que fa de tercera estrofa: *«Tutto ch'altrui aggrada me disgrada»* (Tot el que plau als altres em desagrada), i amb ironia antiautoritària i antisocial desglossa aquesta idea en imatges. Ell és senyor de si mateix, i en aquesta línia, i amb sorna, desplega una de les poques veritats universals, a «Ja és hora que se sàpiga»; tot existeix perquè «jo sóc»: «... sóc el Centre/ i l'Àrbitre». Aquest poder absolut del jo, a més d'exercitar-lo horitzontalment, l'exerceix en profunditat, de forma que ell «ens suscita, ens ressuscita i ens dóna una esperança», i quan mori nosaltres serem només els seus supervivents. El «jo» absolut té una projecció positiva que Pere Quart per primer cop manifesta obertament, i esdevé una resposta més, ara a l'angoixa de l'existencialista.

Amb tot això hi ha un tirà fantasma kafkià, que no anomena, a «Espero, sospito, temo, voldria», la interpretació òbvia del qual és que un déu responsable de la seva existència, que l'hauria pogut fer una bèstia feliç i l'ha fet, en canvi, un home torturat per la presència i l'amenaça d'aquest faedor inconegut, que com a tal no pot ni servir-lo. Per tant, si la incomunicació és absoluta, el poeta no suporta que els altres humans valorin el món d'aquest déu amb «misteris, oracles, enigmes, dons, privilegis, èxtasis, el culte i el núvol sacre». Sota aquesta tirania clama: «Vull amor o repòs», on descobrim, junt a la seva constant de la quietud absoluta com a estat ideal, el desig de l'amor com una nova resposta a les coordenades de temps i espai en relació amb la tirania fantasmal.[38]

38. Hi ha una diferència destacable entre «vull amor o repòs» i els versos de «Darreria» (*Terra de naufragis*) on diu:

Aquesta resposta també la conté, i afirmativament, «Seixanta», títol que constata els anys que tenia en escriure-la. La primera part del poema engloba, amb gran varietat d'imatgeria egocèntrica els «... quasi vint-i-dos / milers de dies». La figura del poeta es concretitza cada vegada més i aquella poca transparència de poemes anteriors s'il·lumina. Allò que Pere Quart es planteja és l'univers: «He viscut, doncs, al capdavall?» I aquest vers, el 40, inicia la segona part on contesta la pregunta descrivint la seva evolució amorosa i la troballa de l'amor humà específic que és la resposta afirmativa. La valoració de la vida està en el record de la «*cosa inefable*» (subratllat en el text) i en l'amada tangible. Però el poema continua, i el poeta recorda l'amada morta, la qual li inspira tres aforismes: «Tot es perd. O ens perdem», «... la mare Natura / sovint marradeja» i «en el pla metafísic tot s'explica» que apunta a la irreconciliabilitat entre la realitat i el pensament. A la tercera i darrera part del poema descriu el moment present, tot referint-se a la nova companya, i acabant amb la prosopopeia de cadascun dels seixanta anys i una nota melangiosa.

Lògicament hi ha crítics que consideren el poema «Vacances pagades» el centre del llibre pel fet de donar títol al recull, i tanmateix no s'han parat a comentar-lo. En la meva opinió «Vacances pagades», com els altres dos poemes que mencionaré després, acompleix una funció catàrtica per al poeta, i no pas la d'invent d'una resposta del jo davant l'existència. Al mateix temps no hi ha dubte que és el més intens dels poemes egocèntrics de l'«exili», en el sentit d'exili interior. Altrament l'acumulació d'imatges, amb les quals es retrata patèticament com un miserable, indica els lligams morals i físics de qui no pot alliberar-se de la seva existència ara i aquí. I el determini aparentment ca-

---

«I un amor / total, immòbil, impassible.» Aquí l'amor es confon amb repòs, mentre que en el primer és més aviat una alternativa.

pritxós —«He decidit d'anar-me'n per sempre. / Amén.»—, i les possibles anades i tornades, indiquen els seus lligams amb Catalunya, dels quals tampoc es pot alliberar, car necessita aquesta terra per a sobreviure. La paradoxa i la contradicció del poema són que aquest anar i venir no és un esdeveniment que pugui controlar, sinó que és quelcom essencial a la condició humana:

> La terra que va ser la nostra herència
> fuig de mi.
> És un doll entre cames
> que em rebutja.
> Herbei, pedram:
> Senyals d'amor dissolts en la vergonya.

Són l'espai i el temps els que es mouen. Ell resta immòbil. La resolució final, desesperada, conté una esperança agnòstica:

> Salto llavors dins la tenebra encesa
> on tot és estranger.
> On viu, exiliat,
> el Déu antic dels pares.

El lloc dels morts, ho reconeix, és el verament estranger, lloc de l'exili del Déu, a la manera que el lloc dels vius és el de l'exili del poeta.

Els altres dos poemes en els quals el poeta es desfoga públicament són «Seixanta», que ja he comentat i on la funció catàrtica es troba en la primera part, i «Salm de les llàgrimes», que és un monòleg amb incisos de l'altre jo entre parèntesis, on descriu la soledat, els records, els anhels, sense complaença, les afeccions, sense sentimentalisme, i el seu caràcter. Autobiogràfica és la negativa de participar en el joc de l'existència, però l'altre jo li fa avinent que ningú no l'ha invitat a jugar entre el món benestant, i al capdavall roman sol. Pere Quart, en aquest poema, torna a mostrar-se antiautoritari, contraliterari, i esperançat —mínimament i escèptica— en la mort:

> mentre s'acosta coixejant l'oblit
> o una represa amb millor cara, oh Déu!

La prosopopeia de l'oblit, que simbolitza la mort, apropant-se coixejant, demostra el seu enginy d'emprar imatges humorístiques, gairebé frívoles, per descriure amb exactitud i profundament situacions greus, de la mateixa forma que no empra la retòrica si no és amb una dosi d'ironia.[39] Quant al bastiment de la societat humana «occidental», la pinta amb cruesa i deixa entendre la necessitat de destruir-la. Entre els versos 32 i 47, partint d'ell mateix, fill dels farts que fa disset segles —referència de la conversió del «Poder», de Roma, al cristianisme— que s'agenollen «quatre segons» davant el «Déu» —«llur venturós atzar»— i són beneïts per les autoritats, ells i elles «porcs inverecunds i lascius», passa a l'altre costat, els dels «rabiüts del puny», a qui no pot insultar perquè són el «proïsme de ningú, / àngels pudents i esparracats del Déu». Cal que la revolució innominada arribi a tothom per raons discordants, i, és clar amb conseqüències divergents.

En aquest terreny la situació del treballador, que és també la seva des de la República, en relació al poder econòmic, és fonamental, raó i origen de la revolució. Ja al poema «Seixanta» constata

> Em guanyo la vida, senyors.
> Treballo (a sou,
> i el que faig són noses per a mi!)

on destaca el mot «noses» per contraposició al seu antònim «donar facilitats», beneficiar, evidentment, l'amo. I això lliga amb el darrer poema, «Abans de callar», quan afirma:

39. Pere Quart ha dit que la ironia és la sal que preserva de la fatuïtat, de la qual ell fuig com del diable.

> *Cobejo diners*
> *que em farien apte*
> *per a cloure els ulls*
> *a molta falsia,*
> *per a no servir*
> *la grassa fadesa*
> *d'aquell reeixit,*

versos que no reclamen comentari o aclariment.

«Abans de callar» —el poema que clou el llibre— també és possible de dividir-lo en dues parts. La primera, en què parla del seu estat actual, acaba amb la citació de l'Eclesiastès «tot és vanitat». La segona té forma de sermó i modestament dóna consells basats en la doctrina més radical del Crist, i així ens situa en la tanca del poema i del recull:

> *I ara sí que callo.*
> *Parlar costa poc.*

Ironia contra ell mateix, incredulitat davant la moral establerta, contra la filosofia, i, per extensió, contra la literatura. I al capdavall la necessitat de començar-ho tot de nou, constant, no sols de Pere Quart, sinó de qui produeix poesia contrapoètica.

VII. De «Dotze aiguaforts» a «Circumstàncies»

1. CONTINUÏTAT AMB UN BREU INTERLUDI

És indiscutible que *Circumstàncies* és una continuació de *Vacances pagades*, una seqüència i conseqüència d'aquest. Han passat gairebé deu anys. Entre els dos reculls Pere Quart només n'ha publicat un de molt breu, *Dotze aiguaforts de Josep Granyer*,[1] escrits inspirant-se en els gravats, a l'inrevés de *Bestiari*, com un joc d'aparent lleugeresa que, tot i així, registra la condició humana i la tragicomèdia del moment històric.

Vull deixar constància d'alguns passatges com a mostra de la diversitat del nostre poeta en confrontar el món que el rodeja.

Al segon gravat repeteix els versos a la primera i darrera estrofa:

> *La petita pau parrupa*
> *i passa la corda fluixa,*

que formen com una dita humorística sobre el tòpic tan manipulat de la pau, i el símbol que la representa, el colom.

Al tercer gravat el tema és ben actual —turístic—: el mariner que ha pescat una àmfora romana:

> *Mariner, fes-ne present*
> *a l'amor de la setmana*
> *que només parla sospirs*
> *i estudia a Upsala.*

---

1. La primera edició es titulà *12 aiguaforts i un autoretrat de Josep Granyer*, Monografies de la Rosa Vera, Barcelona, 1962.

Igualment al quart on es refereix al futbol, i en el vers 6 anomena Di Stefano i Kubala, dos jugadors que formen part essencial, com el turisme, de la història d'Espanya dels anys cinquanta i seixanta, i de les seves potineres intrigues.

Al cinquè, una cançó de bressol, el poeta s'adreça al vedelló irremissiblement condemnat a l'escorxador o a la cursa de toros:

> fes-te fort
> per a la mort!
> ¿Seràs brau
> o de pau?
> ¿Seràs carn d'escorxador
> o màrtir nacional?

L'ambició, la malícia, el poder, el destí, el joc eròtic, la força del nom, la pintura abstracta que és «zigazagues i llepasses / d'aquell desig tan concret!», tot això ho conté el gravat dotzè.

I com a últim exemple cito el gravat desè, una semblança jocosa entre l'home que es dedica a encotillar la Natura i la senyora hipopòtam:

> Doncs, ¿per què
> donya Pura
> —que fa el ple—
> no té dret a les cotilles
> amb barnilles?

A més d'aquest breu recull, he de mencionar un fet que va tenir repercussió pública i amb el qual Pere Quart va demostrar que en l'ocasió pertinent, per poc propícia que fos, estava preparat per actuar i comprometre's. Em refereixo a la seva participació en l'Assemblea Constituent del Sindicat Democràtic d'Estudiants que va tenir lloc als caputxins de Sarrià (Barcelona) el 1966.[2] La policia el va agafar i el va interrogar

2. També varen participar-hi el catedràtic deposat pel fran-

i retenir tres dies a la comissaria, i va ser fortament multat. La seva vida tornava així, a la pràctica, a tenir un sentit, si bé, amb els anys, la decepció davant la Revolució «impossible» el marcaria.

Aleshores hom pot entendre per què *Circumstàncies* és una continuació de *Vacances pagades*. La bona sort històrico-econòmica, la dictadura cada cop més feble s'atarda gràcies a l'exportació de mà d'obra, el turisme —que converteix Espanya en terra de criats— i la venda de la terra i de la indústria als estrangers. Aleshores apareix una classe burgesa —a moltes ciutats espanyoles—, satisfeta de la situació i que esdevé indirectament el suport del dictador; són els oligarques, els privilegiats i els prebendats. En canvi la dictadura es cansa i permet l'obertura de bretxes en el sistema. És quan a Catalunya Pere Quart passa a ser una figura pública en els medis catalanistes més culturitzats. I el poeta escriu i publica *Circumstàncies*, conscient que la seva audiència s'ha eixamplat.

Els crítics i el mateix Pere Quart, a propòsit d'aquest recull, parlen d'una poesia fruit de les friccions de l'home davant el fet existencial, és a dir, ell mateix i l'ambient on es mou. I Pere Quart ho explica tot dient: «manca d'ajust i lubricant».[3] Em sembla obvi i no insisteixo sobre això. De forma semblant A. Machado deia, amb llenguatge més tradicional, que la poesia és «*hija del gran fracaso del amor*».

A les *Notes provisionals sobre poesia* Pere Quart defineix lúcidament tot aquest nou recull quan escriu: «avui, el mateix poeta ha de crear[4] a pocs anys vista. Viure al dia: la posteritat cada cop s'encongeix més».

quisme i historiador Jordi Rubió i el poeta Salvador Espriu, entre altres.
3. Vegeu *Notes provisionals sobre poesia*, signades en la primera edició de *Circumstàncies* per Pere Quart, i a Pere QUART, *Obra poètica, op. cit.*, per Joan Oliver.
4. Des d'aleshores Pere Quart ha rebutjat el terme «crear» per a definir «fer poesia»; a *D'una conversa amb Pere Quart*

I també, amb la confessió, ja mencionada, que «ara, com ara, trobo més *poesia* [5] en una simplicíssima cançó d'en Raimon que en una densa i sàvia elegia de Carles Riba». El «viure al dia» i el mot «poesia», expliquen l'actitud de Pere Quart en produir *Circumstàncies*, la funció emotiva i la immediatesa que ell assigna als seus nous poemes.

El recull sencer és, doncs, com el títol i la introducció confirmen, una col·lecció de poemes inspirats per esdeveniments concrets, a diferència dels altres llibres, tret de, com ja he dit, *Vacances pagades* i també d'*Oda a Barcelona*. *Circumstàncies* no té una estructura temàtica, i la sola unitat formal la transmet el mateix poeta. La circumstancialitat dels poemes vol dir que l'incentiu que els ha esperonat no és merament un impuls que sorgeix de la càrrega d'idees i creences personals —l'elaboració de les quals és evident que apareix en els poemes— sinó que sempre fan referència a estímuls externs i concrets. Ara bé, això no implica que els altres poemes no s'inspirin també en esdeveniments exteriors [6] sinó que a *Circumstàncies* l'autor vol que el lector conegui sense ambages l'estímul que el mou. Això mateix s'esdevé al seu darrer recull *Poesia empírica*, que, en familiaritzar el lector amb la gènesi fenomènica del poema, mostra el seu rebuig de la visió tradicional i eufemística del poeta que es mou només per ideals i pensaments «nobles»,[7] diabòlics o angèlics, és a dir, aquella il·lusió sovint mantinguda tot disfressant

---

(vegeu Pere QUART, *Poesia empírica, op. cit.*), diu: «¿Hi ha algú que s'arriba a creure un creador? Jo sóc un compositor, un conjuminador i encara gràcies.»

5. Subratllat per l'autor.

6. Vegeu *Excuses*, pròleg a *Circumstàncies* a Pere QUART, *Obra poètica, op. cit.*, on diu: «¿Per ventura no són circumstancials tots els versos i tantes d'altres obres dels homes?»

7. «Ja no suporto sense angúnia la poesia contemporània de to *noble* (subratllat per ell), d'aparences magistrals, de ressons clàssics.» Vegeu *Notes provisionals..., op. cit.*

l'origen tòpic i banal del poema, en trasplantar la realitat al terreny purament subjectiu.

Naturalment que en aquest recull hi ha subjectivitat, en la mesura que tota producció poètica és subjectiva, però el fet que manqui de pensament i d'imatges simbòlics és simptomàtic del fet que la subjectivitat de Pere Quart tendeix a ser temàtica més que formal, primària més que secundària. Aquesta absència de trasplantament pot sorprendre a qui consideri que també és un dramaturg, però cal no oblidar que empra, quan li convé, tècniques teatrals, sobretot el diàleg, la sermocinació i el monòleg.

A *Circumstàncies* hi ha un exemple d'aquest trasllat d'una estructura teatral a la poesia, «Taula rodona dins un mirall bonyegut», un intent de surrealisme social que recorda la cara esperpèntica de Valle-Inclán. El fet és que un dels objectius de Pere Quart és presentar unes pintures si més no versemblants, cosa que l'obliga a repetir fórmules per compensar les omissions forçoses. Ezequiel Martínez Estrada, conscient de les dificultats de qui refusa el simbolisme i el romanticisme com a norma, deia que un bon poema social és el més costós d'escriure car no hi ha manera de disfressar-lo amb terboleses o hermetismes que prometin profunditats o altures sobrehumanes.[8] Tal afirmació correspon al significat del mot «social» a partir de Karl Marx quan deia: «el mateix home com a ésser social, és a dir, veritablement humà».[9] Podem concloure, doncs, que un poema social, en sentit estricte, és el que més s'ajusta substancialment a l'home, en la forma i en el contingut.

En aquest moment del seu procés poètic, Pere Quart veu la poesia com el fruit i la prova del conflicte bàsic entre l'home i el seu ambient, en particular l'ambient social. Es tracta de la doble dimensió de la poesia que

8. Vegeu Ezequiel Martínez Estrada. *La poesía afrocubana de Nicolás Guillén*, Arca, Montevideo, 1966.
9. Marx, Karl, *Selected writings in Sociology and Social Philosophy*. Penguin Books, 1963.

esdevé alhora la constatació de l'existència de la socie-
tat i el seu resultat, com Octavio Paz intentà d'explicar:
«*La palabra poética es histórica en dos sentidos com-
plementarios, inseparables y contradictorios: en el de
constituir un producto social y en el de ser una condi-
ción previa a la existencia de toda sociedad.*»[10] I Pere
Quart ho practica amb una actitud de rebel·lió originada
en l'experiència o en el plantejament personal del con-
flicte, tot produint el poema amb el material que recull
en els moments extrems del seu encarament amb les
circumstàncies, històriques o intrahistòriques, i que ell
anomena «els fenòmens que el rodegen».[11]

Això implica una visió de la poesia que contrasta
fortament amb la del poeta que consagra el Món Exis-
tencial amb l'Art, visió, aquesta darrera, que parteix
del principi aristotèlic de la *mimesi*. Una positura tal és
avui irrellevant en una societat on l'artista ja no pot
genuïnament adoptar la individualitat superior i distant
que pressuposa aquesta fórmula. El poeta, immers en
la societat, a partir almenys del segle XX, ja no pot dei-
xar de ser-ne conscient, i el seu producte, per més indi-
vidualista que sigui, per més que el depuri tancat en
una torre de vori, és sempre social pel sol fet de ser
llenguatge. Estic d'acord, doncs, amb el que Christo-
pher Caudwell va dir, que la poesia expressa la part
instintiva i genètica de l'individu,[12] i és més, afegeixo
que quan el poeta té una «intenció social» no fa altra
cosa que expressar més directament, amb bona o mala
fortuna, el contacte amb l'ambient del qual la seva
individualitat forma part.[13]

10. PAZ, *Octavio*, *El arco y la lira*, Fondo de Cultura Econó-
mica, Mèxic, 1962.
11. Vegeu *Notes provisionals...*, *op. cit.*
12. CAUDWELL, Christopher, *Illusion and Reality*, International
Publishers, Nova York, 1963.
13. És al Tercer Món on es poden produir situacions com
la que Pablo Neruda descriu a «Oda a la poesía»: «Nos espera-
ban grupos / de obreros con camisas / recién lavadas / y ban-
deras rojas.» (Vegeu *Poesía completa, op. cit.*) Pere Quart viuria
més endavant una situació similar al I Festival de poesia ca-

Quant a Pere Quart, ja he assenyalat en parlar de la seva lírica a l'altura de l'home, que és, en la poesia catalana, el primer poeta «conscient» de la interacció llenguatge-societat, i que és precisament aquest material humà la substància de la seva poesia, material empíricament —i inevitablement— egocèntric,[14] amb la característica de treure'l dels estímuls externs. Un exemple d'això el trobem, per partida doble, als *Dotze aiguaforts*, per als quals s'inspira igualment en l'obra d'art de Granyer i en «els fenòmens que el rodegen».

Al capdavall jo diria que un poeta ho és en la mesura que socialitza el seu subjectivisme, car allò que des d'Homer fins als nostres dies ha estat la substància poètica més genuïna i allò que ha seduït els homes que pensen, es troba en el subjectivisme social, no pas en allò elitista o hermètic. ¿Què és més pregon, la Deessa de la Lluna Blanca de Robert Graves o la Revolució de Maiakovski? ¿La Grècia —o la Bíblia— de Riba o l'Home de Pere Quart?

2. UN POEMA SOCIAL: «POBLE MEU»

Per no apartar-me de les constants de la poesia de Pere Quart, ara amb les característiques que s'evidencien a *Circumstàncies*, comentaré especialment tres dels poemes que he triat entre els més representatius d'aquell moment de la seva evolució, tot indicant l'estímul extern que l'ha empesa. Els «fenòmens» als quals el poeta s'encara en aquest recull són bàsicament humans, en el sentit que pertanyen a la gent i a les situacions a

talana, al Price barceloní, acte del qual va ser un dels principals protagonistes, el 1970.

14. Pere Quart m'ha dit que l'egocentrisme de la seva poesia respon a un fet obvi i indefugible: ell és l'home que coneix més a fons i és per això que li concedeix tanta representativitat. (Vegeu també el pròleg de Joan Oliver a Pere QUART, *Poesia empírica, op. cit.*)

què es deixa portar. La divisió principal és entre els poemes on l'èmfasi estructural es centra en el mateix poeta, i una majoria que es centren en altres subjectes. Els d'aquest últim tipus es poden subdividir entre els que parlen de l'home en general, que per a alguns crítics serien els pròpiament socials,[15] i aquells altres que s'inspiren en una persona específica.

Així, dels poemes «socials» analitzaré «Poble meu». Dels inspirats per una persona, en comptes de prendre'n un de palès com «Montserrat Riera» o «Angelo Roncalli», n'analitzaré un semiautobiogràfic, «Temps de diàleg», per l'interès que ofereix com a mostra del subjectivisme social. I, finalment, analitzaré «Edat antiga», com un exemple de la visió que el poeta té de si, de les seves arrels. Poema aquest que ofereix una novetat doble, pel fet de ser com un fragment d'unes possibles memòries i pel fet d'obrir el recull amb una composició estrictament autobiogràfica.

A «Poble meu», Pere Quart mira el seu poble, particularment els grups no benestants —«gent humil, mesquinets, plebs il·lusa»— amb una barreja d'afecte i de valoració política. El «missatge» per si mateix pertany a la línia de les idees del poeta social, però sense el to pompós que dóna lloc al didactisme, com per exemple quan Blas de Otero diu: «*escribo a gritos, digo cosas fuertes / y se entera hasta dios. Así se habla*».[16] La manera com Pere Quart es centra en el tema és ben diferent, no compta amb ell mateix, i aquest recel d'in-

15. És a dir, que correspondrien a la definició de poesia civil de J. M. Castellet i J. Molas a *Poesia catalana del segle XX*, Edicions 62, Barcelona, 1963: «Predomina (en la poesia civil) una preocupació moral d'evidents arrels idealistes, però d'un gran valor cívic.» No cal que insisteixi que els mots «moral» i «idealistes», en la meva opinió, són equívocs. D'altra banda avui hom ja reconeix que totes les obres dels homes, i també les artístiques, parteixen d'uns costums, d'un ideal i d'una valoració «cívics».

16. Otero, Blas de, «Y el verso se hizo hombre», poema inclòs a *The Penguin Book of Spanish Verse*, editat per J. M. Cohen, 1965.

cloure's en el poema li dóna un aire de preocupació genuïna.

El conflicte més obvi que ens presenta és la rebel·lia amb què el poeta veu com evoluciona la societat, en contrast amb la idea que hom pot tenir d'una estructura òptima, que no descriu i que el lector ha d'entendre antitèticament. Hi ha una insatisfacció envers la forma en què la societat està organitzada, forma que fa que l'única classe essencial i la que acompleix els més grans sacrificis no rebi els beneficis que li pertoquen a dreta llei. Aquí el tema econòmic torna a ser material poètic i un dels tres mots en cursiva, *populars*, té un doble significat. Si es refereix al fet que els bancs viuen gràcies al poble, com a sinècdoque al·ludeix al «Banco Popular» fundat per membres de l'Opus Dei. O a les caixes d'estalvis:

> *Amb els vostres estalvis*
> *—suada avarícia dels pobres—*
> *rumbegen els bancs* populars.

Al mateix temps hi ha el reconeixement, i un cert sentit de culpabilitat, pel fet que, si bé molt temps enrera, ell va ser, circumstancialment un dels components de la classe opressora, tampoc no és ara estrictament un del «poble». Aquesta consciència explica el distanciament de la seva actitud, com si no fos digne d'identificar-se plenament amb el poble quan li proposa:

> *La implacable eficàcia*
> *d'un* no
> *just, compacte i unànime.*

La resposta als problemes dels grups i individus no privilegiats de la societat és la solidaritat, una resistència concertada davant la situació present i les formes futures que pot prendre. És a dir, una solució que, primer de tot, representa una reacció enfront de les circumstàncies, i després la fusió de l'individu i la societat.

159

Aquest segon pas sembla un eco de la idea de «massa» que hom troba en la poesia de César Vallejo,[17] si bé Pere Quart, per empirista, no pot entrar directament en aquesta etapa, li cal primer que el poble esdevingui conscient dels beneficis que aconseguirà, que s'adoni de la potencialitat popular. Per això el programa de Pere Quart és més pragmàtic, és revolucionàriament escalonat. A diferència de la idea d'acció directa de Vallejo, justificable perquè escrivia durant la guerra espanyola i en el moment dels èxits del feixisme, el nostre poeta proposa que el poble s'enforteixi en una lluita contínua, i en molts terrenys, contra el poder social que no el representa. Conscient, per experiència, de la impossibilitat d'una fusió de les classes socials, assenyala la facultat unificadora de sectors que pot augmentar, no pas anihilar, les oportunitats per a la revolució.

Un altre estímul exterior, de tipus més subtil, és el punt de contacte entre Pere Quart i el poble al qual s'adreça. Com ja he anotat, no pot identificar-se amb ell, fet que esdevé paradoxal car el seu «missatge» és unitari. I tanmateix la seva no és l'actitud del «savi» que explica a les masses ignorants què és allò que els convé, sinó més aviat la de l'individu aprensiu que, per raons fatals, no es pot considerar poble en el sentit estricte de la paraula. Per aquest motiu el motor del poema és el «vosaltres», mai no és el «nosaltres solidari» que segons J. M. Castellet és una de les notes clau de *Circumstàncies*.[18] Curiosament l'únic cop que insinua la possibilitat de la forma «nosaltres» es troba al primer vers —«Poble meu (tenim dret a dir *meu*?)»— que amb la pregunta concisa sobre el dret a tal conjunció destrueix tot lligam present amb el poble protagonista. Però, si bé no s'inclou ell mateix com a tal, la seva

17. Vegeu especialment el poema titulat «Masa» a César VALLEJO, *Poesías completas*, Casa de las Américas, La Habana, 1965, on presenta la culminació d'aquesta idea amb la superació de la mateixa mort per mitjà de la solidaritat en l'amor.
18. CASTELLET, J. M., *De Joan Oliver a Pere Quart*, Edicions 62, Barcelona, 1969.

posició tampoc no és plenament externa, i això vol dir que hi ha un mínim nivell d'interacció que no podria donar-se si fes de simple observador. El to interessat amb què parla és evident, i el seu compromís, quasi emocional, es nota si hom compara el passatge d'aquest poema:

> No cal pas vessar sang:
> tota sang té una mare,

amb el passatge de «Ja no serà una illa», a propòsit de la revolució cubana, on parla de

> tanta sang fecunda
> —la sang dels enemics també és fecunda
> i ells també, per la sang,
> esdevenen a contracor gloriosos!

Els dos tractaments no són pas contradictoris, però hi ha un matís que els diferencia. És evident que les dues situacions històriques demanen solucions distintes: una revolució ja està arrelada i l'altra no ha començat encara. El cas és que el poeta empra, en els dos passatges, proposicions «universals», per això sembla legítim parlar d'un compromís emocional en el primer, que no existeix en el segon.

Aquest punt de contacte entre la força en potència del poble i la fragilitat de la persona amb idees constructives, el menciona Bertolt Brecht que al seu «Lob des Zweifels» (Elogi del dubte) diu: «els escèptics que mai no actuen es troben amb els creients que mai no dubten».[19] És la consciència de la inactivitat i la conseqüent inestabilitat de la postura de l'intel·lectual, en la lluita social i política, allò que permet a Pere Quart estar més ficat dins el corrent històric actual, en la realitat social, en el sentit més ampli, que d'altres que aparent-

19. BRECHT, Bertolt, a *Gedichte* 5, Suhrkamp Verlag, Frankfurt, 1964.

11.

ment no senten cap culpabilitat en llur posició semi-paràsita. No aŀludeixo a casos d'inconsciència volguda, com el de J. V. Foix, sinó més aviat a poetes com Salvador Espriu, que els crítics agermanen, com ja hem vist, a Pere Quart en parlar de poesia social. Concretament, a *La pell de brau*,[20] Espriu s'adreça obertament al poble protagonista com a una entitat delimitada, estàtica i completament desassociada del poeta. En una confrontació tal no hi cap un autoexamen de tipus social, i, per això, Espriu parla distanciat, enlairat pel simbolisme i com el teòric que sap el remei, que «sap el que cal». De la forma següent s'adreça a Sepharad, és a dir, al poble hispànic:

> *En la llei i en el pacte*
> *que sempre guardaràs,*
> *en la duresa del diàleg*
> *amb els qui et són iguals,*
> *edifica el lent temple*
> *del teu treball,*
> *alça la nova casa*
> *en el solar*
> *que designes amb el nom*
> *de llibertat.*

En l'actitud de Pere Quart davant el poble veig una forma doble de «manca d'ajust». D'una banda la ja mencionada culpabilitat social dels inteŀlectuals. De l'altra, la postura paternal que correspon a la impossibilitat de situar-se al nivell del protagonista i que produeix una mescla d'enuig, afecte i consell. L'enuig no és pròpiament amb el poble, car les seves flaqueses, més que ser-li inherents, han estat creades pel poder que

20. Espriu, Salvador, *La pell de brau*, XLVII, a *Obra poètica*, Santiago Albertí, Barcelona, 1963. Recordeu que *La pell de brau* es va publicar per primer cop al mateix temps que *Vacances pagades*. Una referència directa a aquest recull i al concepte que proposa la trobareu a Pere Quart, *Poesia empírica, op. cit.* («A un poeta, endevineu quin».)

inventa necessitats noves, tot mantenint la desavinença en un ambient d'enveja i competició. Mentre que el consell que el poeta ofereix, àdhuc paternalístic en el sentit que aconsellar indica algun tipus d'alienació benèvola, perd molt de la respectabilitat associada a les actituds paternals perquè és essencialment negatiu, a més de revolucionari. El mot «no», escrit en cursiva, omple tot els vers 33 i recorda el no de Gandhi a l'Índia.[21]

Finalment, a propòsit de «Poble meu», vull fer constar que Pere Quart, tot apropant-se al poble com a un organisme viu, destrueix el mite de l'exaltació del proletariat. No ignora que en les actituds populars hi ha moltes deficiències, principalment la tendència de seguir els models més fàcils i més pròxims. Per això veu la solució a substituir la manera de viure imposada a la gent des de fora pel «molt de seny i un mot d'ordre legítim» que refuta la *biológica misión* de la massa que segons Ortega i Gasset consisteix a «*seguir a los mejores*».[22] Pere Quart proposa essencialment que la massa compleixi la seva tasca, proposa la dignitat que, en aquell moment històric dels anys seixanta, consistia en la proclamació del «*no* / just, compacte i unànime».

El poeta no fa concessions, com el polític, ni viu de conformitats teòriques com el filòsof.

3. EL SENTIMENT RELIGIÓS HERETAT I CORREGIT: «TEMPS DE DIALEG»

Alguns dels poemes de Pere Quart constitueixen un camp textual organitzat per les seves actituds respecte

21. Aquest *no* es pot lligar amb la cançó de Raimon *Diguem no* i amb la dita: «*Mi mundo no es de este reino*», pronunciada per Bergamín a les acaballes de la dictadura, des de la finestra de la mansarda que ocupava, enfront del Palacio de Oriente.
22. Vegeu José ORTEGA Y GASSET, *España invertebrada*, Espasa Calpe, Madrid, 1964.

a la Bíblia i al Crist —és una de les seves constants com ja hem vist. Aleshores dins aquest camp textual, que es defineix per oposició al món extratextual, els valors del cristianisme s'alteren significativament en una direcció positiva o negativa que origina les tensions estructurals dels poemes. Així, els valors que la Bíblia, Vell i Nou Testament, codifica en la simbologia cristiana, es distorsionen en el text. Pere Quart desmitifica una organització «mítica» —religiosa— del món, amb una altra organització «mítica» que és el poema mateix; i la diferència entre els dos mons mítics és que el darrer és més complex perquè inclou l'altre i la seva crítica, i, a més, la crítica de l'hermenèutica oficial. La interpretació de Pere Quart de la Bíblia cristiana apareix, doncs, més en les formes que en els materials. Formes que corresponen a les del coneixement empíric, amb les conseqüents connotacions escèptiques i agnòstiques, i que no són gens estàtiques. El seu dinamisme el produeix l'esforç del poeta de comprendre l'home essencial i evolutiu.[23]

Havent intentat explicar així el terreny contrateològic de la poètica de Pere Quart, passo ara a comentar el poema «Temps de diàleg» on hom pot veure clarament el procés del seu incentiu de pensar, origen i plasmació de la rebel·lia que caracteritza *Circumstàncies*.

La forma del diàleg l'empra aquí no per presentar punts de vista des d'un marc dialèctic, sinó per polaritzar el conflicte entre l'estímul extern i les seves conseqüències internes. Sovint una sola paraula de l'«altre» és suficient per desencadenar una sèrie completa de rèpliques. Un exemple ho són els versos 111 a 120:

> Jesús...

> *Sí, sí, pobret Jesús!*
> *Podeu cridar ous a vendre!*

23. Aquest primer paràgraf està inspirat en la conclusió de la tesi doctoral d'Esteban PUJALS Y GESALÍ, *John Keats: una interpretación de la antigüedad griega*, encara inèdita.

Els primers segles
hi hagué la fe, l'amor i l'esperança
dels aculats, la pobrissalla.
Valia més ser màrtir crèdul
que esclau sense remei, no us sembla?
Però després, a mans dels amos,
la fruita es va podrir...

La rapidesa amb què les respostes es succeeixen, i llur coherència, mostren que les idees han estat formulades des de fa temps en la ment del poeta, el qual necessita l'estímul extern del dialogisme per a produir-les verbalment dins un ambient d'autenticitat. De nou veiem el tipus de funció conativa —relació entre el text i el lector— de Pere Quart que l'impedeix escriure un poema purament introspectiu, o simbòlic, o condescendent amb si mateix. En produir els pensaments sobre un problema tan profundament familiar, i també individual, en forma de diàleg, dóna a les idees una àmplia àrea per a moure's, tot separant els pensaments del pensador, car rebutja el concepte tradicional d'aquest darrer. La producció d'un portaveu semiartificial mostra que el valor del pensament resideix en les idees per elles mateixes, no pas pel fet que un cert personatge hagi tingut certes pensades.

La rebel·lia, en aquest poema, és una concreció de l'evolució contrateològica del poeta. S'adreça contra un mite, és a dir, contra una visió tradicional. I la rebel·lia contra un mite és una lluita contra els interessos i valors falsos que l'han forjat, que han fet d'una comunitat o d'una persona quelcom més gran —monstruós— que la realitat, a fi d'emprar-lo com un exemple infal·lible. Pere Quart, com ja he assenyalat en altres poemes bíblics, reacciona contra el mite de Jesús fent èmfasi en la humanitat de la persona històrica. Aquí, al pròleg de *Circumstàncies*, quan parla de la seva percepció religiosa, diu: «La figura històrica de Jesús... inquieta, atreu, fascina. Però la fe del poeta és massa humana i es corromp instantàniament en xocar amb la irracionalitat del sobrenatural», i aquesta percepció la desenrotlla a «Temps de diàleg», la substància del qual consisteix en la conflictivitat de la inintel·ligible divinitat del Crist i el poder que l'Església ha extret d'aquesta creença. Així s'explica que l'altre parlador, en el diàleg, recordi contínuament al poeta el punt de vista ortodox de Crist com a Déu, la qual cosa resulta ridícula, però és un ridícul de la situació, no pas del personatge o de la gent que representa.

El poema enter és un dels més llargs de l'obra de Pere Quart.[24] Amb la forma basada en l'accentuació de ritme trencat, té un total de 212 versos. Per qui estigui familiaritzat amb el tema, el llenguatge no ofereix cap entrebanc.[25] Tenint tot això en compte em referiré principalment als versos 36 a 91. En aquesta secció hipotètica, Pere Quart comença rebutjant la descripció oficial de Jesús per massa nítida. En remoure la humanitat del Crist, Jesús esdevé un no-ésser, com la gent «bona» del poema que precedeix aquest, «Bondat dels homes», on el poeta es pregunta (versos 35 a 37):

> ... són homes terminats?
> Pròpiament dits?
> Són homes, en un mot?[26]

I és que si bé Pere Quart es rebel·la contra la idea cristiana i ortodoxa de Jesús, també queda implicada la crítica contra la figura humana del Crist que és necessària per a confirmar l'existència positiva de les dues persones de què parlen els teòlegs per tal d'explicar

24. A *Poesia empírica, op. cit.*, un altre poema sobre el Crist home el supera en llargada. Té 345 versos i es titula «Romanço herètic de carrer».

25. El poeta figura que parla amb un jove cristià (vers 96) que resulta ser un doctor (vers 210), hom suposa en teologia. Cita Pasolini (vers 64) pel seu film *La passió segons sant Mateu*, i quan diu «Adolf», al vers 99, es refereix a Hitler.

26. Després afirmarà que els únics éssers que són bons són els gossos. Això mostra que la «perfecció» només pot donar-se en éssers diferents de l'home. (El subratllat és d'ell.)

el fet històric i diví. Perquè si el personatge de Jesús es redueix a un mer adjectiu, desapareix tota relació entre l'«Home» i el possible «Déu», car no hi pot haver una valoració mútua. Aquesta és una de tantes contradiccions del context en les quals Pere Quart insisteix per trobar la condició humana de Jesús, condició que, sense anar més lluny, ha de ser paral·lela a la del poeta, com diu al vers 40: «me l'estimo perquè ell *també m'estima*».[27] Si entre l'«Home» i el possible «Déu» hi pot haver alguna forma de contacte que és representada o encarnada per Jesús, l'èmfasi amb què els exegetes mantenen la divinitat de la seva naturalesa resulta en perjudici de la seva humanitat i destrueix la funció bàsica del Crist.

La comprensió, en el sentit més ampli, de l'activitat del Crist, de part del poeta, es conjuga amb l'actitud de rebel·lia que, encara que es troba només ocasionalment manifestada en el poema, recalca amb formes parentètiques i al·lusions als nostres dies, com hom pot observar:

> *Era dels nostres, sí, però es trobava*
> *condicionat pel medi i per la conjuntura*
> *—ho diuen així ara.*

I:

> *Demagog de l'amor —diria jo—*
> *miser atleta públic de la pobra justícia.*
> *Geniüt, impacient i sempre amb presses,*
> *anava curt de temps*
> *—l'ha vist bé el Pasolini—.*

I un dels valors de la rebel·lia és allò que té de negatiu, com anota el mateix poeta: «les negacions solen ser més sinceres i són més operatives que les afirmacions».[28]

27. El subratllat és de Pere Quart.
28. Vegeu *Notes provisionals...*, *op. cit.*

Per tant Pere Quart només pot justificar el personatge de Jesús pel seu fracàs i com a antimite. Si ignorem la resurrecció i la naturalesa divina, com fa el poeta, la vida de Jesús esdevé la història d'algú lluitant una batalla perduda contra les circumstàncies i és la frustració de la seva personalitat la que descriu el vers 82: «Al capdavall va morir com un home.» Al Crist, sens dubte, li mancava la finor —podríem dir el jesuïtisme!— necessària per a triomfar públicament. Tot d'una el poeta s'identifica amb ell per allò que és una constant empírica, que la humanitat es divideix entre opressors i oprimits, i que ells dos formen part d'aquests darrers:

> Era ben bé dels nostres:
> sempre la pitjor part.

El final del poema ens retorna a l'ambient actual i concret, i fa que ens adonem que Jesús, com a persona, és el centre d'intrigues per als qui l'exploten, però també de fe, de bona fe, en la seva doctrina. I l'irònic «gràcies» del darrer vers, que clou el poema, colloca amb esment, en una categoria de paràsit social l'intèrpret religiós, l'única funció positiva del qual és distreure el proïsme.

L'ús del llenguatge prosaic i colloquial, i amb tons humorístics, en el poema, correspon també al propòsit de desmitificar el Crist, illuminant-lo amb el fet existencial, a fi de jutjar la validesa del personatge, però al mateix temps significa que en el procés d'examinar un tema «seriós» l'individu no cal que accepti els fonaments d'un tal tema, cosa que faria si admetés el llenguatge que li dicten com l'adequat a un assumpte tan greu. L'individu manté la seva pròpia posició en emprar el seu llenguatge propi, i així acosta el tema a ell mateix, i el jutja amb els termes d'una realitat coneguda —la seva— i no pas assentint simptomàticament a un cert tipus de llenguatge com a punt de partida.

Si d'una banda el poeta diu al penúltim vers «avant!»

al jove doctor és perquè coneix l'home, i el jove, només per ell mateix, pot desdir-se de continuar pel camí ideològic i pràctic que segueix. No es tracta d'un «avant» merament popular, malgrat que en el context prediu, per oposició, un canvi més o menys substancial, i més o menys llunyà en el temps, del doctor amb qui dialoga.[29]

En conjunt jo diria que la fusió del llenguatge prosaic i apassionat en descriure els fets i en manifestar les idees, encabeix aquesta tradició cristiana dins el marc de l'ésser humà de l'individu, de manera que anihila necessàriament el mite i tots els seus aspectes.[30] Una mostra més de l'empirisme del poeta.

4. UN POEMA AUTOBIOGRÀFIC: «EDAT ANTIGA»

«Edat antiga»[31] és un poema, com «Temps de diàleg», que té una estructura rítmica i una extensió considerable, 179 versos, i es diferencia d'aquest perquè és autobiogràfic en sentit estricte, la qual cosa produeix la identificació plena de l'autor amb el tema.

És Roland Barthes qui diu que «l'ell és la manifestació formal del mite»,[32] i per tant, a «Edat antiga»,

29. Em diu Pere Quart que aquesta forma «avant!» era una fórmula de comiat dels obrers sabadellencs dels anys 20.

30. Tot això que acabo de dir, escrit abans de llegir la secció final del seu darrer recull *Poesia empírica, op. cit.,* que porta el títol triple: *Jesusisme / exegesi casolana / contra els intermediaris,* ho veig confirmat als poemes d'aquesta secció, que formen una mostra diversa i confluent de la humanització definitiva del Crist.

31. Un altre poema estrictament autobiogràfic de Pere Quart, «Edat antiga II» apareix a *Poesia empírica, op. cit.,* que a més d'oferir un tema absolutament nou, demostra la gratuïtat de l'afirmació d'Albert Rossich que diu que Pere Quart va escriure poemes amb el material del record per influència de Gabriel Ferrater (vegeu «Els Marges», 13, 1978). En aquest capítol hom veurà amb aquest tipus de poesia encaixa genuïnament en la línia poètica de Pere Quart.

32. Vegeu Roland BARTHES, *Le degré zéro de l'écriture,* 1953.

un poema construït sobre el «jo», no hi podem trobar cap mite, ni tampoc símbols superficials contra els quals rebel·lar-nos per enderrocar-los. És més, el poeta ens explica la seva infància de tal manera que queda ben clar que no hi ha el més mínim intent de retorn a un passat idealitzat, a fi de fugir del present, com ho suggereix, per exemple, César Vallejo, que per minimitzar la conflictivitat existencial recorre a la infància fins a perdre consciència del present. L'ús continu de Pere Quart dels temps de verb en pretèrit, especialment, l'imperfet, per a contar l'«edat antiga», mostra alhora l'encadenament d'allò que va ser i que ara és irrevocablement passat. No hi ha, doncs, interacció com a tal entre el pretèrit i el present, sinó més aviat entre la visió actual del pretèrit i la visió actual del present. És a dir, el poeta projecta dues funcions, una que descriu la infància, de vegades nostàlgicament, i l'altra que actua com una mena de control i que comenta, sovint amb ironia, la visió de la infància que desenrotlla.

És confrontant aquestes dues funcions relativament contradictòries que el poeta pretén arribar a la realitat, cosa que constitueix una manera més provocativa, àdhuc menys espontània, que si harmonitzés passat i present en el producte poètic, car deixar en mans del lector la síntesi dels elements oferts és una forma de prolongar extratextualment el poema.

La mateixa estructura d'«Edat antiga» indica la dualitat amb què l'autor considera el tema. Al començament ja clarifica que es tracta de l'home actual parlant del passat, i assenyala, d'una manera mig cínica, mig apologètica, que és un exercici de perspectiva. Aquests primers versos, que s'obren amb «Em sembla recordar que era feliç», equivalen a una autojustificació de la forma acrítica i, científicament, ahistòrica que empra. Així, en exposar «la llei del pare», matisa l'amor del progenitor amb un parèntesi:

> *un amor tan adust, tan ferreny*
> *i al capdavall tan just! —dic ara,*

on la clàusula «—dic ara» actua com de control de la descripció.

La substància del poema la integren diverses escenes de la infància o, potser millor, l'efecte que certes seccions d'aquell ambient li causaren, i que, per implicació, li continuen causant avui, amb la qual cosa els personatges que descriu romanen envoltats per una boirina. Així, entremesclat amb l'element descriptiu hi ha els enunciats parentètics, o oracions incidentals, com la que acabo de citar, que si bé augmenten la profunditat del personatge central, quant a la part narrativa, altrament no ofereixen cap documentació respecte dels elements que componen el passat. D'aquí que no sigui una contradicció afirmar que aquest poema biogràfic és, en aquest sentit, ahistòric.

L'autocriticisme, d'altra banda, és el d'un poeta, no el d'un historiador, i per tant és l'activitat relativa al producte actual la que està oberta a la crítica, no pas els fets inevitables de la infància. Aquest típus d'empirisme culmina en la «conclusió», on amb cinc passatges interrogatius l'autor es pregunta sobre la validesa del procés de reconstrucció, sense arribar a cap resposta.

En aquest cas la rebel·lia del poeta contra el medi es centra, i no per primera vegada, contra la seva manera d'escriure, cosa que diu amb tons aforístics:

> ¿Per arribar a concloure
> que la infantesa
> ha estat a penes
> un assaig insabut de pàtria venturosa?
> ¿Quatre jocs sense sal i dins la boira,
> remots, incomprovables,
> projecte inconscient —miratge dels adults—,
> el millor d'una llarga vida?

I aquesta valoració final destrueix la simplicitat del poema sencer, car posa en dubte que la realitat de la infància pugui, per si mateixa, justificar-se com a substància de l'art verbal.

Pere Quart, conseqüent amb la seva manera de poetitzar, rebutja un altre cop tota simplicitat irreflexiva, com hem vist que fa amb el llenguatge eufemístic amb el qual pretén assolir la lírica pura. Les escenes que descriu evoquen una aura de felicitat perquè es basen en la irresponsabilitat inherent a la infantesa, però aquesta mateixa irresponsabilitat és indefensable en un adult. La simplicitat, per tant, queda reduïda al contingut inevitable, mentre que la forma esdevé més complexa. I així, no solament qüestiona el mètode d'explicar la infància, sinó també la concepció popular d'aquesta, i defuig tot intent freudià de veure el significat d'una vida sencera en els motlles dels primers anys de l'home, alhora que reconeix la llunyana autonomia del món de les criatures.

Hom podria interpretar el vers «un assaig insabut de pàtria venturosa» com una al·lusió de tipus polític, el suggeriment que el món que ha descrit anteriorment podria ser un model per a l'organització d'un estat polític. Que això quedi en mans de la subjectivitat del lector. Tanmateix, allò objectivament segur és que emfasitza el món tancat de la criatura, i el concepte de pàtria, en aquest context, és paral·lel al del poema «Infants»[33] que acabava: «llur guerra civil contra els gegants». L'única cosa positiva de la infància —si acceptem que ultrapassa aquests primers anys—, és l'articulació dins el temps que esdevé la matriu de l'activitat de l'avenir, tot proveint de material per a la seva estructura. Això és tot, i ja és molt.

La selecció d'allò que descriu i narra, d'allò que presenta com a símptomes de la seva infància, interessa tant per les omissions com per les inclusions.[34] No fa

33. Vegeu apartat 5 del capítol IV d'aquest llibre.
34. A «Edat antiga» menciona l'origen del seu pseudònim, «Quart» pel fet de ser «Quart entre els germans» (vers 20). «Pere» és el seu segon nom.

cap menció de les circumstàncies estrictes sòcio-econò-
miques que sabem que no ignora. La raó principal és
que concentra el poema en gent a la qual dóna un
caràcter estable i d'ubiqüitat, i que es converteixen així
més en símbols d'institucions que en persones a qui
defensar o contra qui rebeŀlar-se. En conjunt fa la im-
pressió d'una societat incommovible en la qual una je-
rarquia tradicional elimina tot possible contacte nega-
tiu i positiu. I la descripció del funcionament de l'am-
bient es fixa en les actituds infantils, implicant que
aquestes no es poden trobar en els adults a qui man-
ca la irresponsabilitat i el desinterès dels infants. Es
tracta de la dialèctica de l'impuls del temps i l'espai
—els infants— contraposada a la tendència a l'encar-
carament del món adult. Així, per exemple, el passatge
del peix del bassiol que varen ferir. El poeta i dos dels
seus germans hagueren d'excusar-se

> del crim davant el pare.
> El qual sentencià:
> Un dia enter sense jardí!
> On heu après aquests instints de cafre?
> A la presó, plena de sol, com ens desficiàvem!

La reacció de Pere Quart envers ell mateix com a
criatura és força indulgent, car presenta la pintura d'un
noi plenament immers en el seu medi, incitat per mo-
tius elementals, com la curiositat, la por, l'enuig, la
crueltat, la inventiva. Però si no fos perquè parla en
primera persona, i no hi pot haver cap dubte que es
refereix a ell mateix, hom podria dir que està revivint
la infantesa d'algú altre. Això no ens ha de sorprendre
si recordem que projecta la seva poesia a través de
«l'únic home que pot conèixer», ell mateix, i si tenim en
compte que la minyonia de la vida correspon a la ne-
cessitat temporal de l'acció externa, i no pas a la cons-
tant interna de les idees.

De fet, Pere Quart, com a personatge central, apa-
reix més que res com una síntesi de la infància, és a

dia, d'un vincle que connecta unes circumstàncies que, d'altra manera, es donarien aïllades. Més encara, la diferència entre l'home d'avui que cerca i pregunta per la motivació fonamental dels fets, i el mateix home, com a minyó, que accepta aquell món amb la visió unidimensional i característica de l'infant, mostra l'actitud doble amb què hom reviu el passat: el vincle a través de la continuïtat vital i la distància que imposa el canvi de circumstàncies. Per tant, Pere Quart, fidel a l'experiència i a la seva distintiva manera de poetitzar, com que aquesta distància és irrecuperable, bandeja qualsevol tipus d'angoixa racional i produeix, amb aquest tema, un poema d'humor amable i objectiu amb el material de la simplicitat infantil.

5. EL LLENGUATGE DE CIRCUMSTÀNCIES

Havent vist uns exemples de com el poeta empra el material de l'estímul extern per a produir els poemes d'aquest recull, passo ara a considerar l'efecte formal del conjunt de *Circumstàncies*, fent especial referència al llenguatge.

Ja he parlat anteriorment de les limitacions de la plataforma de Pere Quart, no tan sols pel fet de ser poeta sinó també pel fet d'escriure en català. I tanmateix, això darrer, té alguns avantatges, en particular la manca de necessitat de recórrer a la retòrica, car el català no és pròpiament una arma del poder.[35] És a dir, quan va escriure aquest recull, i fins fa ben poc,

35. Sobre el llenguatge i la retòrica com a arma del poder, vegeu Roland BARTHES, *Recherches Rhétoriques, Communications*, n. 16, Editions du Seuil, París, 1970. D'altra banda, si bé és veritat que part de la burgesia catalana no ha cedit a la imposició del castellà, aquesta llengua ha estat importada per opressors i oprimits al mateix temps i al capdavall és des de fa segles la llengua del poder real a Catalunya. Ni la pagesia ni els treballadors catalans no han tingut veu ni vot sobre aquesta imposició.

no hi havia cap ús oficial de la llengua que la literatura pogués combatre.

He de constatar, però, que tot text inclou una retòrica, que és el conjunt de normes que l'organitzen. Ara bé, l'accepció més usual del terme «retòrica» és la que la identifica amb uns usos estereotipats o inflats. I així, a Catalunya, si la retòrica pròpiament dita no s'ha convertit en una arma del poder, tampoc no trobem el paral·lel de l'altisonància que pretén l'«altisignificança» almenys com a norma pública. Hi ha qui creu que els escrits en català no són prou convincents perquè els manca una càrrega tradicional de grandiloqüència. Potser dins el joc polític, tan feble encara a Espanya, malgrat els interessos conservadors que defensa ara imitant les democràcies occidentals, això és veritat, però, és clar, poèticament seria quelcom indesitjable. El joc en poesia és en un altre terreny, la mentida poètica no és utilitària.

D'altra part, la senzillesa lingüística és un dels objectius més cobejats pels poetes, si són conscients que el contrari no és intrínsecament poesia. Pere Quart arriba a aquesta senzillesa, a la frescor de l'expressió poètica no corrompuda amb connotacions oficials, perquè una de les constants del seu art verbal és la manca total d'una retòrica —la del sentit pejoratiu— i la presència de l'altra que controla poèticament el text.

No és paradoxal afirmar que l'aspecte de la seva senzillesa lingüística és la riquesa, si hom entén per riquesa el potencial semàntic. Pere Quart ho demostra palesament a la «Tirallonga dels monosíl·labs»[36] en construir un llarg poema tot explotant el domini del llenguatge. Podem dir que el català no ha esdevingut un idioma pròpiament «utilitari», i això el situa al nivell d'un sistema més primitiu en el qual els mateixos mots es tornen humans en llur pluralitat d'efectes, cosa que

36. A la primera edició se li va escapar un bisíl·lab al vers 110, «Vull ser: ruc? cient?». El mot «cient» l'ha canviat en edicions posteriors pel de «clerc» que aquí vol dir intel·lectual.

el nostre poeta també aconsegueix, i de forma ben distinta a «La llamborda vibrant» (*Poesia empírica*).[37] A la «Tirallonga» la interacció de forma i contigut mostra, incloent l'humor, fins a quin punt el llenguatge ha esdevingut un organisme viu, i, per tant, un estímul extern que ens incita a la rebel·lió tan vàlidament com ens hi incita la societat. Aquesta visita que el poeta fa a «Déu», és a dir, que l'home fa a l'atzar, dins el continu monosíl·lab del poema, és una culminació del significat més complex dins el llenguatge més simple.

És evident que a *Circumstàncies* Pere Quart professa un estil col·loquial, tot distanciant-se del llenguatge «poètic» convencional. Ja s'havia anticipat, i s'anticipa de nou, al que Badia i Margarit manifestaria dotze anys més tard: «els poetes d'avui semblen haver-se proposat justament de fer poesia sense valer-se necessàriament dels mots "poètics" per naturalesa o per tradició, sinó incorporant-hi mots corrents, fins i tot vulgars, els quals esdevenen "poesia" per la concepció, per la construcció i per la intenció del poema».[38] D'una manera més general això ho havia apuntat Geoffrey Leech, en dir que «la relació entre els participants (l'autor i el públic) determina allò que hom pot anomenar, en el sentit ampli, el to del discurs»,[39] i així vèiem que Pere Quart manté una relació directa amb la quotidianitat del poble, tant si aquest fa de protagonista com si fa de públic del poema, tot i que dins el seu llenguatge trobem l'ús idiosincràtic de certs mots infreqüents que no són pas considerats normalment «poè-

37. No es confongui això que dic amb la mitificació de la paraula per part de poetes que pretenen destruir mites i de fet només els substitueixen, com Octavio Paz. Vegeu el seu llibre *Libertad bajo palabra*, Fondo de Cultura Económica, México, 1960, com insinua el títol i els poemes «I», «Palabra» i «Las palabras».

38. BADIA I MARGARIT, Antoni Maria, *Discurs dels XVIII Jocs Florals de la «Misteriosa Llum» de Manresa*, a «Serra d'Or», juliol-agost 1980, sota el títol *La pretesa crisi del vocabulari poètic*.

39. LEECH, Geoffrey, *A linguistic guide to English poetry*, Longmans, Londres, 1969.

tics», els quals, a més estampen una individualitat no gens pedantesca al llenguatge. Altrament, Pere Quart ha escrit: «Tots els vocables del Diccionari són poètics.»[40]

És precisament en l'estructura individual dels poemes on hom pot observar l'efecte més pregon de l'estímul extern. A propòsit d'això, i per corroborar-ho, he d'insistir en algunes de les constants formals. Molts dels poemes estan construïts a manera de diàleg —diàleg unilateral, centrat en el jo del poeta— i quasi tots impliquen alguna relació humana, el fruit de la qual és la substància del text. Com ja he assenyalat abans, Pere Quart empra la tècnica de les observacions parentètiques, i així produeix un altre tipus de diàleg que prové de la sermocinació, és a dir, del diàleg amb si mateix. Aquesta manera de fer del poeta és fonamental en la producció del poema que inclou elements forjats en una llarga elaboració mental, que no nega l'emocional. Són frases sovint curtes perquè, si no, el poema perdria la qualitat subversiva que dóna la barreja d'ironia i seny. A causa d'aquestes oracions incidentals i de la insistència en punts que són especialment enutjosos o/i inspiradors —com per exemple la repetició d'«homes i dones bons» a «Bondat dels homes»— els poemes tendeixen a ser llargs, forma que correspon a la seva poesia social, i presenten una novetat, sobretot comparats amb els llibres anteriors a *Vacances pagades*: els passatges tenen un aire d'incertesa i les frases sembla que s'arrosseguin fins que aconsegueix una pintura perfecta, de manera que el poema enter és com una pintura impressionista, composta de símptomes il·luminadors —com ha dit Pere Quart— com un «assaig en marxa». Els successius contactes del poeta amb el seu entorn drecen una rebel·lia originada en l'estímul extern i l'un i l'altra compareixen en el producte final, directament o indirecta.

Com a exemple de tot el que acabo de dir cito sencera l'estrofa 6 de «Prehistòria»:

40. Vegeu *Notes provisionals...*, op. cit.

12.

I jo em pregunto ara:
tanta barreja,
tantes xuclades i tants xarrups en fonts diverses,
passar per tantes mans, braços i faldes,
per tants coixins rosats de carn elàstica,
no pot marcar un destí de tastaolletes?
Què hi diu, senyors, la psicoanàlisi?

On «un destí de tastaolletes» és un equívoc per «destí de versàtil o voluble».

Circumstàncies presenta, crec jo, una estructura relativament uniforme. Els primers versos de cada poema tendeixen a ser de to conversacional i suggereixen una situació continuada, un fragment de la qual es manifesta sobre el paper. És com si aquests versos fossin la seqüela de l'estímul extern i la primera reacció contra aquest estímul. La part principal del poema, per així dir-ho, es torna més reflexiva i produeix una successió d'idees associades amb la primera imatge, idees que projecten la coherència de pensament que rau al fons del poema. I, finalment, el fil del pensament es trenca en arribar a l'estrofa o vers final que conté un resum de l'actitud del poeta, expressada d'una manera que fa impossible la continuació, i sovint amb l'ús de la ironía. Als darrers passatges el poeta referma la seva individualitat. Sense arribar però a una solució positiva, cosa que seria massa simplista, però sí manifestant el conreu de la seva reacció personal davant l'estímul. L'esperit, si no la lletra, del poema sencer queda resumit en els versos finals. El procés del poema és, doncs, una aproximació gradual de la circumstància a l'autor, el qual elaborà tot seguit una aproximació a la circumstància per mitjà del pensament que genera el tema. Sovint el moviment final és una manera de refús de la circumstància, un no voler ser assimilat per ella.

Un exemple diàfan d'això el trobem als versos finals de «Bondadós suïcidi de circumstàncies», on el parèntesi inclou un altre parèntesi al darrer vers:

(Cal descomptar només
les temporades que estava enamorat,
malalt, i foll, i combatent d'amor,
nauta feliç, nàufrag secret de breus amors
—diria potser un poeta.)

El llenguatge de Pere Quart correspon, naturalment, a la seva evolució temàtica, la qual és valorativa, no pas moralitzadora. Veiem en aquests versos que acabo de citar com, amb un llenguatge i tema nous, salva l'amor humà, cosa que havia fet en reculls anteriors d'altra forma. És un costum de les seves avaluacions, aquest salvar l'amor. I és el conjunt de totes elles allò que el converteix en un poeta compromès. Les seves avaluacions són fruit de la compenetració amb l'espai i el temps que poèticament, lingüísticament, no tenen altre límit que l'autocrítica que s'imposa, ara menys exigent quant al material que empra. Ara bé, el seu llenguatge també correspon al lema que hauria d'acompanyar sempre la seva producció poètica: «tot és relatiu, aproximat i provisori».[41] I així, sota aquest epígraf, distingim els valors de la seva ideologia.

Entenent, doncs, la interacció compromís-llenguatge-ideologia, acabaré aquest capítol tot assenyalant aquells estímuls externs que encara no he mencionat, i que es troben en els poemes de *Circumstàncies*:[42]

Cuba, a «Ja no serà una illa», on es refereix a la revolució que no va realitzar-se a Catalunya,[43] revolució sobreentesa, innominada, evocada pel sinònim «lliber-

41. D'una conversa personal amb el poeta.
42. Anoto aquí aquella informació i alguns punts d'interès de *Circumstàncies* que en poden afavorir la lectura: «Edat antiga» (retorn del gos com a protagonista als versos 25 a 33; la germana de l'estrofa 5 no és la mateixa que apareix com a protagonista a «La germaneta», vegeu *Poesia empírica, op. cit.*). «Prehistòria» (el vers 44, «—maretes de possibles *rosalías*», es refereix a Rosalia de Castro, filla de senyor i serventa; l'oncle dels versos 45 a 47 és el protagonista —mossèn Enric— d'«Edat antiga II», vegeu *Poesia empírica, op. cit.*). «Sense passaport» (recordem primer que privat de passaport des de la seva tornada

tat», mot que no va emprar a l'*Oda a Barcelona*. Els Estats Units, com a nació opressora, també només es sobreentén.

Al poema «Els blancs i els negres» es refereix al racisme i a la impossible igualtat dels pobles a les Nacions Unides, amb figures sarcàstiques de tema bíblic. «Homes, guerres, déus» tracta del conflicte del Vietnam sense especificar-lo, únicament d'una manera indirecta al vers clau, el 25, «vibres a la jungla»; tampoc no menciona pel seu nom els Estats Units, si bé classifica els seus capitostos —«driopitecus», és a dir, homenoides, bèsties anteriors a la humanització— que reconeixem per una imatge tòpica: «els peus ensabatats damunt la taula». I altra vegada empra el recurs del sarcasme sobre la narració bíblica:

---

de l'exili, el govern espanyol no l'hi va concedir fins que el donà també a la «Pasionaria»; el germà de Pere Quart es va morir en plena maduresa, tenia dos anys més que ell). «Ja no serà una illa» (quan diu «del segle quart ençà» es refereix a partir de Constantí i l'oficialitat del cristianisme). «Montserrat Riera» (el cristianisme com un servei a fer que contrasta amb el dolç «no fer res» dels contemplatius; el vers final evoca l'amor concret humà). «Els blancs i els negres» («L'Universal Beuratge Tèrbol» és la Coca-Cola). «Ballets russos» («Oh *santa* Rússia...», del vers 11, ho deia sovint Dostoievski). «Homes, guerres, déus» (les «torxes humanes» del vers 55 fan referència als bonzes que es suïcidaven cremant-se). «Gràcies» (al vers 21, «el mistagog pedant —de l'Opus— o mansuet —jesuític»). «El malson» (els «Cinc Costats» del vers 30 es refereixen al Pentàgon nord-americà). «Bondat dels homes» (els gossos es mencionen altre cop als versos 41 a 47). «Bondadós suïcidi de circumstàncies» (el vers 1, a la primera edició, anava sense cursiva). «Assaig de plagi a la taverna» (el vers 4 en comptes de «Sud avall» ha de dir «oest o sud enllà», que recull així tota la península al voltant de Catalunya; aquesta esmena me l'ha assenyalada l'autor personalment).

43. Una referència a la revolució frustrada en temps de la República la va publicar Miquel ALZUETA, *Yo declaro* (*conversación con Pere Quart*), *op. cit.*, i posava el que segueix en boca de Pere Quart: «*Aquel fue un momento único para llevar a cabo pacíficamente la revolución que la Historia nos debe.*»

> *Potser [Déu] «es passeja per l'Edén*
> *a l'oreig del capvespre»*[44]
> *per matar el temps, sí, sí: matar-lo!*

Com a contrast en tot sentit, entre aquests dos dar-
rers poemes, situa «Ballets russos», que és un elogi de
la joventut soviètica, no pas dels seus mandarins, i una
constatació del valor de l'home que es dedica «a un
treball sagrat i inútil» —com la poesia, dic jo, i ho diria
Pere Quart— que fa que els dansaires siguin

> *Epifania d'un amor enorme*
> *i d'una fe senzilla, gratuïta, generosa,*
> *sense dogmes ni mística*
> *—els uns i l'altra*
> *engendradors de crueltat*
> *i sang vessada.*

Aquí desvalora els anacrònics dogmes i mística, amb la
qual cosa torna a suggerir la revolució pura, com també
desvalora, al poema «Hom engegà la metafísica», la
ciència abstracta per excel·lència, l'anacronisme de la
metafísica, en el doble sentit d'aquest mot, la ciència
explicativa dels universals, i l'etimològic, de més enllà
de la física, és a dir, més enllà de l'experiència i de la
naturalesa. Mentrestant valora, en altres poemes, l'home
concret —l'ésser humà complet— com a «Montserrat
Riera» i a «Angelo Roncalli».

L'exegeta heterodox que apareix en la majoria dels
poemes i transmet valoracions definides, però no pas
senzilles d'entendre, jo diria que clou el llibre amb el
poema ja citat «Bondadós suïcidi de circumstàncies», i
amb la valoració de l'amor factual que havíem vist a
«Seixanta» (*Vacances pagades*) i que he transcrit abans:
el darrer parèntesi, per a mi, del recull, car les altres
quatre poesies que el segueixen formen una secció a
part. Encara que també són circumstancials, aquesta

44. Vegeu el *Gènesi*, 3, 8.

circumstancialitat està limitada al món cultural català, i això els dóna una fesomia diferent a les altres.

Aquests quatre poemes són: «Assaig de plagi a la taverna», una paròdia lírica, carregada d'intenció social, de l'«Assaig de càntic al temple» de Salvador Espriu, que per aquell temps ja havia estat publicat, a Barcelona, en catorze llengües distintes, entre elles l'esperanto. «La cançoneta folk del nou pobre» és la seva resposta en versos d'art menor a l'«art major» —entengueu això figurativament— de l'historiador Ramon d'Abadal,[45] terratinent vaticanista que d'Acció Catalana va passar a ser de la Lliga. La mort d'un company va inspirar a Pere Quart les «Darreres paraules a Rafael Tasis», on els versos finals fan referència a la seva informació enciclopèdica de la qual es beneficiaven tots els seus companys d'ofici. «Les jaculatòries del centenari», dedicades a Pompeu Fabra, són un reconeixement de l'home que dedica totes les seves forces a una tasca concreta i fonamental per a tot un poble, en aquest cas a ordenar i depurar la llengua catalana, i acaben amb una imatge paradoxal, arquetipus de l'home i antítesi del tirà:

> dictador amb seny i sense sabre,
> mestre Fabra.

45. Vegeu els articles que Joan Oliver publicà a «Serra d'Or» analitzant la ideologia de Ramon d'Abadal, a Tros de paper, op. cit.

1. SÍNTESI I RENOVACIÓ

Amb *Quatre mil mots*, recull publicat el 1977, Pere Quart reprèn la poesia més autoexigent, que cíclicament correspon a la maduresa de l'experiència i a la contenció extrema. De les quatre seccions que conté —marcades pel mateix autor—, una, la 3, és una excepció d'això darrer. Porta el títol de *Versos elementals als catalans de 1969*,[1] i per l'estructura i per la proximitat cronològica, va ser escrit el 1968, és com un poema més de *Circumstàncies*. Tot i així, amb les altres tres seccions, la 1, *Decasíllabs de vell*, la 2, *Passadís*, i la 4, *Endreces*, en conjunt, representen una renovació de la lírica que, referida a la poesia anterior, ve a ser una síntesi entre *Terra de naufragis* i *Vacances pagades*.

Quan alguns crítics es varen fixar en el nombre dels *Decasíllabs de vell*, vint-i-nou, posats a la primera part i la més àmplia del recull, varen deduir que eren la base del llibre. Tot això és lògic: quantitativament no hi ha cap dubte, i formalment són ells els que assenyalen la novetat poètica més òbvia, allò que anomenaré la lírica aforística, però la seva relació amb les altres seccions s'ha de tenir sempre present. Per exemple, els *Versos elementals* incideixen en la interpretació que hom pot fer dels decasíllabs «Banyes al seny» i «Als lacais pòstums» quant al tema de Catalunya i als valors proposats. Cal no oblidar, doncs, que la substància d'un recull és com la d'un poema: no es troba solament als passatges on sembla que el poeta exposa imatges o idees centrals, car el significat pot canviar per uns

1. Fou publicat a París pel Cap d'Any de 1969, a causa de la censura.

mots que crèiem perifèrics. Així hem anat veient la
tècnica de les caigudes líriques que confirma que el
significat és indivisible, és a dir, que tot el conjunt
de les estructures i de les tensions de l'art verbal co-
muniquen el «significat», tant en un poema per si sol
com en un recull sencer.

A la justesa de Roland Barthes, quan diu que la
motivació és la causa de l'expressió del mite,[2] en el
sentit de poema, vull afegir, respecte al nostre poeta,
allò que va escriure Francesc Parcerisas: que la «mio-
pia de la crítica ha estat jutjar l'obra de Pere Quart
fent-ne, només, un procés d'intencions, no de contin-
guts».[3] D'aquí la freqüència amb què s'empren els qua-
lificatius de moralista o de realista, que ja he refutat
abans, aplicats a la persona i a la poesia de Pere
Quart, i que hi hagi de vegades qui l'elogiï, com a poeta,
per honest, com si això pogués ser una avaluació dels
textos, quan, segurament, és una desviació del crític
davant les dificultats de valorar un material potser
massa complex o que ell, en la seva miopia o la seva
servitud a la moda, estima que ha perdut vigència.

Allò que faré, quant a *Quatre mil mots*, és tornar
a centrar-me en el contingut, que ara ja sabem que és
inseparable de la forma, i respecte als *Versos elemen-
tals* no els comentaré a part, car si ha estat la voluntat
del poeta intercalar-los amb les altres seccions crono-
lògicament posteriors, tot i essent un producte de la
seva llarga trajectòria, els consideraré com un frag-
ment de tot el recull.

Em paro primer a recordar que l'obra sencera de
Pere Quart és una unitat dins d'una gran diversitat de
temes que s'obren més o menys, que evolucionen i que
no es repeteixen tautològicament; i de tal manera és
així que fins i tot arriba a la contradicció. No oblidem

2. BARTHES, Roland, *Mythologies*, Editions du Seuil, París,
1970.
3. PARCERISAS, Francesc, *Un llibre cada mes*, a «Serra d'Or»,
abril, 1978.

que el mateix Pere Quart ha dit: «Reivindiquem [els poetes] el dret a errar i a contradir-nos.»[4] Altrament, en aquest recull, la temàtica es manifesta sobretot en els decasíl·labs, a vegades amb rima, altres sense, que curosament accentuats produeixen una doble força formal pel seu valor semàntic. És la seva «nova manera de fer versos», segons escriu al pròleg, que, cal dir-ho, és exemple de brevetat i d'autopresentació, i que, com tots els seus, és il·luminador envers el llibre.

He indicat dues característiques globals de *Quatre mil mots*: continuació i renovació. La continuació es farà evident a mesura que comentaré el recull. La renovació l'he de constatar ara per fer-ne l'anàlisi més planera. Es tracta de l'abundància d'aforismes en una poesia pròpiament lírica i, per tant, no epigramàtica. D'una banda és una qüestió d'estalvi, que ell mateix menciona al pròleg, però fonamentalment d'estil, car no dóna mai la sensació que sotmeti el producte a l'epigrama, a la manera, poso per cas, del poeta clàssic Marcial, és a dir per motius satírics o humorístics, sinó que empra una tal estructura en arribar a la desitjada condensació lírica. La poesia pròpiament epigramàtica de Pere Quart fou la del *Bestiari*. Aquells poemes tenien un altre sentit formal, i a més ara no recorre a les bèsties,[5] sinó que és ell mateix i l'home el material amb què treballa.

4. Vegeu «Notes provisionals sobre poesia», a *Circumstàncies, op. cit.*
5. Una coincidència que vull mencionar és que el *Bestiari* estava dedicat «Al Camús, el meu estimat gos», mentre que els «*Decasíl·labs de vell*» porten el lema de l'iniciador del surrealisme, Lautréamont: «Jo, com els gossos, experimento la necessitat de l'infinit.» A més, a «Laia i les ànimes» Pere Quart indica que «entre l'home i el gos, al capdavall, / la dissemblança tot just és de graus». I a «Cel de palla» surt el «gos vagabund», i a «L'empresa» diu: «... l'instint, zel d'animal cient». A *Poesia empírica* reapareix el tema: en comptes de la fogosa donzella que escalfava el rei David quan era vell, a Pere Quart l'escalfa un gos (vegeu el poema d'aquest recull, «Calefacció reial».) Amb aquesta nota tanco el tema caní.

També vull, d'entrada, insistir en les característiques de la poesia de Pere Quart que la converteixen en inclassificable, i que al mateix temps formen el continu de la seva obra. Com a exemple d'això darrer constato només que el noucentisme i el surrealisme tornen a aparèixer en aquest recull.[6] He assenyalat anteriorment constants contraculturals i contrapoètiques, i ara, després de la lectura de *Quatre mil mots*, podem arribar a una conclusió: la ideologia que contenen els poemes és ambivalent. En primer lloc veiem que és la seva ambició d'exactitud, o la ironia, no la pendanteria ni la moda, allò que fa que empri vocables cultes o vulgars, perquè la seva elecció de la paraula és una valoració social, diacrònica i sincrònica a la vegada. I a través de la funció expressiva projecta una ideologia que és alhora contracultural i cultural —una contradicció solament aparent— perquè s'origina en la recerca de l'essència de l'home —d'«ell mateix» o de l'«altre». Per observar-ho hom pot llegir «Natura viva», poema líric on un esdeveniment amorós el porta a la descripció del paisatge com

> *Palau obert als vents, sostrat de cel,*
> *dels homes born i tomba, i llur bressol.*

I immediatament cal llegir la «Visita al bordell»[7] on poetitza un tema contracultural:

> *L'alcavot em presenta les pupil·les*
> *—aquest hostal, de fet, és un bordell—*
> *que formen, com soldats, en dues files.*

6. Per a un exemple noucentista, vegeu el darrer «decasíl·lab», «Em retiro al desert». I per a un de surrealista, el darrer poema de la secció «Passadís», «Declaració jurada», a més del lema ja citat de Lautréamont.

7. El poeta Färs Tabrïz, a qui Pere Quart diu que tradueix és una invenció seva. Ell no pretenia pas que algú cregués en la seva existència; em consta.

I acabar llegint l'endreça «A Pau Casals», on, abans de dir que el «pren la música», fa una descripció ambivalent de les «notes» que d'una banda «avien marinades, mestrals, zèfirs, onades amansides», i de l'altra «bleixen», «rondinen», «rauquen».

Aquesta ambivalència hom la troba igualment quan apareix la funció poètica metalingüística, és a dir, la que es refereix a la poesia o al seu material. En «Llenguatges i paraula», un dels «decasíl·labs», explicita la «natura singular i estreta» del llenguatge poètic i de la paraula, de la qual diu que

> ... *deslliura els ignorants,*
> *comencen els amors amb la paraula,*
> *les paraules menyscaben els tirans.*

Posa així l'art verbal i la paraula dins de llurs àmbits. El primer, fruit d'un exercici conscient; la segona, fruit d'una convenció entre els homes, apresa des de naixença i amb un valor d'espontaneïtat, amb una qualitat d'inconscient. Aquest dualisme és paral·lel a la idea del «decasíl·lab» «Secrets» quan aconsella «els teus secrets, poeta, no els esbombis», i «que no et temptí, però, de deixatar-los / en poemes hermètics», on la distància inajustable hermetisme-secret correspon a la d'art verbal-paraula, com també a la d'exercici conscient-expressió espontània.

Aquestes ambivalències es troben conjugades, poso per cas, a «Declaració jurada», paròdia, i potser superació, de la poesia de Joan Brossa, on el poema sencer és una pretensió conscient de poesia automàtica. Hom reconeix que és una composició relativament humorística per versos com «ara no estic per orgues ni cançons» o «... llepo segells dels nous / i m'ennuego cada dos per tres» i també per la rima consonant. Ara bé, és al darrer vers on rebla la contrapoesia, i observeu l'efecte de la rima interna: «aquí s'acaba el trobar clus, pallús!». Pallús, doncs, aquell lector o autor que es pren seriosament el poetitzar hermètic i/o automàtic que hom produeix principalment amb la consulta de molts models i molts vocabularis.

Per tant Pere Quart dóna a entendre que hi ha un art verbal on la interrelació intel·ligència i afecte autor-text-lector és plenament possible, sense que calgui recórrer a les concessions ni a la impenetrabilitat. És a dir, ataca la cultura i la poesia quan eviten tot allò que és humà i humanitzant. Les seves ambivalències no segueixen un model dialèctic —en poesia, seguir-lo, seria dubtar de la intel·ligència del lector—, sinó que són una valoració directa o indirecta d'allò que constitueix la persona humana i una desvaloració d'allò altre que li és aliè. Aquest caràcter de poda és el que confon els crítics que el consideren un moralista, perquè es fixen en la presumpta intenció, oblidant que allò humà i allò inhumà és molt complex, i com a tal ho tracta Pere Quart, car ell no és, ni vol ser, un filòsof que defineix, sinó un poeta que inventa i compon. D'altra banda, la motivació d'un escrit poètic és cosa diferent a la forma i el contingut. El fet és que el nostre poeta proposa i practica una sensibilitat lírica en la qual sempre es dóna ja «d'entrada» la relació entre l'autor, la seva experiència —que inclou el text— i el públic.

Tot això no impedeix, en la seva poesia de denúncia, que faci referències més o menys velades que, a aquells que desconeixen la història recent de Catalunya, els siguin difícils de copsar. Pel que fa el cas, vull parar-me a comentar el primer poema de la secció 2, «El versaire rebotega al poeta». A aquestes altures ja sabem que Pere Quart no empra normalment el sonet, i malgrat això aquest poema ho és, i és l'únic de tot el recull, perquè tracta de J. V. Foix, considerat el millor sonetista del país fins que va aparèixer Joan Brossa que li va fer certa ombra.

Pere Quart, després de posar per lema un passatge de Foix —«És quan dormo que hi veig clar»— s'adreça al poeta de Sarrià durant els catorze versos, i al tercet final, amb la nota irònica d'«ullcluc», fa una apologia de l'estar despert, que és una valoració de la consciència per sobre del subconscient. Aquesta és, en principi, la interpretació que els comentaristes i poetes podem donar per encertada. I dic poetes perquè Josep Grau i Jofre ha publicat un sonet[8] que és una rèplica al de Pere Quart, i que menciono perquè té unes característiques que demostren una diferència d'actitud poètica, i certa lleugeresa, de part de Grau i Jofre, diferència i lleugeresa que segurament no són exclusives d'ell. La diferència consisteix que aquest parla de Pere Quart definint-lo, per acabar donant-li consells amb tres imperatius. Un estil així, és clar, no es troba pas a «El versaire rebotega al poeta» on l'autor explica allò que li passa a ell, en oposició al que li passa a Foix. De cap de les maneres gosa definir Foix, i molt menys aconsellar-li allò que ha de fer. La seva actitud és merament antagonista, i en la seva composició hi ha una desmitificació de les grans veritats del poeta, sigui qui sigui, al mateix temps que una humanització de «misser Vicenç»:

> si les dormides són un altre pa
> els somnis han de ser tot just un joc

i

> però amb els somnis se m'esmussa el lluc
> i no m'adono que s'acosta el drac.

Sé que Pere Quart admira el poeta, l'artista, J. V. Foix, l'obra del qual ha qualificat d'«illot» abrupte. Renuncio, doncs, a dir el que penso sobre aquesta qüestió del dormir i l'estar despert. Només afegiré que les dues citacions anteriors són, a parer meu, les claus per entendre el sonet de Pere Quart.

8. GRAU I JOFRE, J., *A Pere Quart*, a «Els Marges», núm. 16. Al vers 12 fa una referència a la paròdia que Pere Quart va fer de l'«Assaig de càntic en el temple», d'Espriu. Altrament això demostra la repercussió immediata de l'obra de Pere Quart en els escriptors més joves.

Dins aquesta línia, Pere Quart sempre denuncia i desvalora —entenguem-nos, poèticament— sense contemplacions. Fer-ho poèticament ja és suficient consideració. I sobretot ho fa a la secció *Passadís*. «Retrat de desconegut» és una endevinalla d'un personatge comú: «...mig botifler mig patriota». La «Lletra de cançó» està inspirada en la mort d'Elvis Presley, a qui no anomena. La «Balada del comte Mal Genet» descriu l'arquetipus aristocràtic de l'espasa i la creu, i els abusos d'estil feudal, que tot va junt, personificat per ell mateix, com a símbol del burgès que tendeix cap als anacronismes quan somia «en un jaç favorable a les quimeres». I a més de «Visita al bordell» i «Declaració jurada», que ja he citat, en aquesta secció hi ha dos altres poemes de temes diferents que corresponen al constant inconformisme de Pere Quart: «El safareig» tracta de l'economia, del diner, amb una sorpresa al vers final, el vell autodidacta que proposa la solució definitiva a la desigualtat econòmica «vivia a muntanya amb una cabra». Ja hem vist en altres ocasions com l'economia és un material tan poètic com qualsevol altre.

Tampoc no és nou el tema de l'«Exegesi casolana» quant al camp a què pertany, la Bíblia, encara que sí que és nova la manera d'enfocar-lo. És un retaule de personatges «sagrats», alguns que ja havia tractat, com Adam, Noè, David, Job, i altres d'inèdits, com Caïm, Abraham, Lot, Salomé i Cohèlet. Són els únics poemes del llibre escrits en versos d'art menor i corresponen així a l'adjectiu «casolà» del títol, com si reduís a la mínima expressió l'organització «mítica», la qual cosa és una mostra més de la seva contrateologia. Ara bé, aquesta no apareix ambivalent com la contrapoesia o la contracultura envers una síntesi de la dimensió humana. La contrateologia la motiva una actitud escèptica, és una destrucció de la teologia en el sentit exacte d'aquest mot —és a dir, de ciència de Déu— i el que Pere Quart fa és salvar, en el contingut del poema, allò històric de la pretensió teològica dins l'essencial de l'home, que en aquest cas és l'abstracció de la temporalitat.

Enderroca, doncs, tot allò suposadament divinal, i per tant el seu ús, al llarg de la història, per assentar i justificar l'autoritarisme i la jerarquia de classes, de races i de sexes. L'exemple més colpidor d'això, perquè el pren de la mateixa substància teològica, és el vers 9 del «decasíHab» «La mort en tòpics», que diu: «El primer i darrer just morí a la creu», que es refereix al Crist home, com a personatge històric, executat, i després manipulat, per l'oligarquia teològica del poder.

Podem concloure que per a Pere Quart hi ha una excepció al seu relativisme, i d'aquí que la seva motivació i el contingut dels seus poemes siguin revolucionaris, i és el seu antiautoritarisme davant el «Poder» de l'home i l'actitud dels que l'encarnen, que ha estat l'origen de les màximes barbàries. Si la dignitat de tots i cadascun dels homes ha de ser el centre de la història i de les coordenades d'espai i temps, això motiva les més fortes contradiccions de la seva ideologia. Diu que la història ens deu la nostra revolució i alhora exclama sarcàsticament a «Declaració jurada»: «Llibertat, igualtat, fraternitat.» I al «decasíHab» «Ciutadà, ermità» accepta que hi ha «homes sants» i «barons perfectes» però demana al lector que li citi una sola

> ... comunitat
> neta d'iniquitats. Una només!

Les denúncies i desvaloracions, però, no es centren en l'esforç humà sinó en les ideologies i la força del «poder» que el distorsiona i l'elimina o l'empra a profit dels seus interessos inhumans, i així la poesia de Pere Quart continua recercant la mesura temporal de l'home.

2. LA LIRICA AFORISTICA
DELS DECASÍL·LABS DE VELL

Si analitzem primer el títol d'aquesta primera secció de *Quatre mil mots*, en relació al que diu al pròleg, «la meva nova manera de fer versos», veiem que la novetat no és el decasíl·lab pròpiament dit, car aquest és el vers base de la majoria de formes que empra en tot el recull i en llibres anteriors, sinó l'estructuració, amb aquest metre, de cadascun dels poemes, i el ritme tònic i la concisió amb què els resol. Referent a «vell», a part de ser una constatació de la seva edat, si bé de significació, per equívoca, irònica i com excusant-se, és fonamentalment una valoració del temps i l'espai que el poeta ha anat experimentant i que projecta a la seva manera després d'un llarg i fructífer procés de selecció, cosa que sempre ha fet, però que ara té un caràcter de síntesi. És aquest caràcter el que fa possible definir el conjunt dels decasíl·labs com a lírica aforística, la qual no és una novetat en el sentit de ruptura amb l'obra anterior sinó en el sentit d'una progressió. En unir-se l'aforística a la imatgeria tots els termes guanyen un relleu especial, com una tercera dimensió, car hom pot dir que l'aforisme és un enunciat abstracte tan precís com una imatge, puix que ambdós suggereixen equivalències.

Pere Quart sempre juga fort, i aquí, com a revolucionari, intenta alhora destruir i construir la poesia, i per tant, havent afrontat l'existència sense restriccions ni prejudicis —cosa no massa comuna entre els nostres poetes— redueix el producte —jo en diria «teorema» poètic—, dins la limitació sintàctica —és a dir, l'estalvi o reducció dels passatges— i les tensions semàntiques, paradigma de les quals, en les seves composicions, és la lluita permanent del mite i el contramite.

Això sí, conscient, és clar, que l'invent líric no pot tenir la pretesa precisió de les matemàtiques, ni la pretesa intenció definidora de la filosofia, que ha d'encaixar dins el marc de l'estètica. Aleshores tot tenint en compte la integració sintàctica i la tensió semàntica essencials a l'art verbal, però principalment en descobrir en el terreny textual dels vint-i-nou «decasíl·labs», fins i tot en els narratius, una estructura anàloga en tots ells i identificable, arribo a la deducció següent:

Primer, el *títol*: cadascun dels títols fa de coeficient, és a dir, representa la constant de cadascun dels poemes i dels enunciats que inclouen.

Segon, ja dins el text, l'*aforisme* que respon a la definició de «dita breu que hom dóna amb el caràcter de regla»,[9] en el sentit més ampli, no pas moral, pot aparèixer a qualsevol lloc del poema però sovint ho fa al primer o als primers versos, i també pot repetir-se amb diferents continguts.

Tercer, l'*escoli*, que és la part més llarga del «decasíl·lab», on el poeta descriu uns fets, narra unes accions o exposa unes idees; en tot cas es tracta d'uns passatges que il·lustren la proposició general de l'aforisme o aforismes, a manera de complement, de nota explanatòria o de variant.

Quart, la *conclusió*: situada normalment al vers o versos que clouen el «decasíl·lab», tant pot ser la conseqüència o l'arrel de la proposició universal com també un altre aforisme, que sempre enllaça amb el títol, és a dir, amb la constant del poema o del teorema sencer.

Com a exemple d'aquest cos poètic, escullo tres «decasíl·labs» d'estructura aparentment dissímil i d'ideologia entrellaçada, i que són «Covards», «L'empresa» i «Laia i les ànimes».

«Covards» és un exemple de la forma més evident d'aquests poemes, en els quals la simetria de les estrofes conté la unitat del cercle. El títol, o un sinònim, apareix a totes, tret de la final que l'al·ludeix en explicar-lo. La primera estrofa, que és el primer aforisme, ja l'inclou repetint-lo: «El nombre de covards és infi-

9. La definició d'aforisme que empro aquí l'he treta de Joan COROMINES, *Diccionari etimològic i complementari de la llengua catalana*, Curial, Barcelona, 1980, vol. I.

193

13.

nit.» Aleshores hi ha tres estrofes que fan d'escoli tot mantenint un to aforístic. A la segona i a la quarta el poeta es distancia, descriu les lluites tòpiques, la privada i la pública, que ell detesta, i no pot identificar-se amb els seus causants. En canvi s'aproxima a l'escoli de la tercera —«odi i enveja i cobejança»— perquè forma part de la seva experiència interior, i aquest empirisme el porta a la conclusió del darrer vers, i aquí altre cop en forma de proposició universal, fonament del títol i del contingut del primer aforisme, i que diu: «Resignem-nos: la por és la sal del món.» En el poema no hi ha cap tipus de moralisme, es constaten uns fets, i es proposen uns postulats, la bondat i la maldat dels quals pot inferir-les el lector si vol, però no és el propòsit del poeta, que allò que fa, com de costum, és caracteritzar l'home i el món interior i exterior que ocupa i que l'ocupa: aquí la covardia i la por, i la seva pràctica. Amb tot, l'enunciat que inclou podria dir: «la por és la sal del món = el nombre de covards és infinit».

A «L'empresa» el títol també apareix des del primer vers, desenvolupat descriptivament i, en principi, sense el recurs de l'aforisme. I és a partir de la segona estrofa que entenem que el poema explica l'acte d'amor com una empresa, guiada per l'instint que defineix aforísticament: «zel d'animal cient». Tota la composició, fins al darrer vers, consisteix en una exposició acumulativa de l'evolució de l'empresa. I, en aquesta estructura, l'escoli, als darrers versos, per superposició, esdevé un aforisme i la conclusió:

> en gaudi màxim.
>> Que és oblit de tot
> com el darrer badall o el dolor extrem.

És a dir, l'acompliment instintiu de l'acte d'amor —«gaudi màxim»— queda descrit aforísticament com a conclusió —«és oblit de tot»— que a la vegada és escoli o una variant en el símil «com el darrer badall —hom

entén la mort— o el dolor extrem». Així doncs, mentre
«Covards» és un poema estrictament aforístic, «L'em-
presa», en canvi, ho és per acumulació o gradació. Aquí
l'enunciat diria: l'instint de l'empresa porta a l'acte
d'amor que és igual al gaudi o al dolor màxim que és
igual a l'oblit de tot.

«Laia i les ànimes» és un dels «decasíl·labs» més ex-
tensos, i estructuralment es divideix en dues parts. El
títol conjuga l'ésser humà, mencionat pel nom d'un
nadó, amb el concepte tradicional d'ànima, que escrit
així, en plural, té connotacions de supersticions reli-
gioso-populars, i la relació de «Laia» i «les ànimes» és
la constant de tot el poema. Les tres primeres estrofes
formen la primera part. Comença amb la menció del
temps exacte que l'infant va créixer dins la mare, el qual
emfasitza la descripció de la corporeïtat de Laia. A la
segona estrofa es pregunta pel seu esperit, i seguint i
afirmant la doctrina de la immutabilitat d'aquestes en-
telèquies, les contrasta amb l'evolució de la criatura.
La tercera és una resposta dins la línia darwinista, tota
ella un escoli que inclou el primer aforisme del poema,
al vers 16: «l'ànima és vida: nervi, carn i sang», i la
conclusió, que l'ànima és el cos i mor amb ell. L'enun-
ciat seria, doncs, Laia més l'ànima igual a nervi, carn
i sang, i no igual a l'esperit. La segona part és un pas-
satge parentètic que, com és característic de la poesia
de Pere Quart, inclou unes idees que presenta com a
personals, en aquest cas dues que corresponen a les
dues estrofes de què consta: la primera, una valora-
ció de l'instint, proposició paral·lela al paper principal
que l'instint tenia a l'empresa o acte d'amor. La segona,
que el «magí» o imaginació, assentat en l'enteniment, és
un «rebrot espuri», un «bruixot falsari», «pare de la
por», el qual confirma, referit a «Covards», que «la
por», el condiment de l'existència, és un engendrament
de les potències dites anímiques o racionals de l'home.

Tot plegat amb aquesta estructura nova assoleix
consistentment l'estètica verbal, fins i tot en els tons
concloents dels aforismes que comporten l'ús abun-

dant del verb *ser*, i al mateix temps la deixa oberta al relativisme que correspon a la seva ideologia i al procés dinàmic del producte poètic.

3. *EL CONTINGUT DE* QUATRE MIL MOTS

Sense pretendre arribar a l'exhaustió, passo ara a comentar el contingut de *Quatre mil mots*, com a culminació del tema central de Pere Quart, el «jo» o l'«home» indistintament.

Començo referint-me altra vegada al pròleg, a la frase final, que diu: «no vull amagar res als meus lectors», cosa que aparentment contradiu el «decasíl·lab» «Secrets», on parla del món, ja no incomunicable sinó que s'ha de comunicar, el de la màxima intimitat del poeta. Però, com dic, la contradicció és tanmateix aparent, perquè, en veritat, ataca l'hermetisme que «deixata» aquesta intimitat, per a ell els «secrets» són la saba de la vida, les arrels intocables:

Criminals o dolcíssims (els secrets), t'enriqueixen
avarament i sobirana.

Partint, doncs, d'aquesta voluntat seva de no amagar poèticament res, que no és el mateix que proclamar els secrets, cerco la temàtica d'aquest recull amb obligada i contínua referència a la primera secció:

Què diu de la mort i del temps? Què diu de la poesia i dels poetes? Què diu de la religió? Què diu del «poder»? Què diu de la societat? Què diu de l'home? Què diu d'ell mateix?

A la mort li dedica dos «decasíl·labs», «La mort en tòpics» i «Suïcida». Al primer altera els tòpics, una tècnica que ja reconeixem, i esdevenen variants en afegir o canviar alguna idea o imatge:

Cada dia de vida és un assaig
de la mort, que ens oblida o falla el cop,

o bé perquè ens dóna una visió pròpia de quelcom ja expressat anteriorment: «promesa de la mort un son perfet». I als versos finals, una frase parentètica presenta irònicament un dels tòpics més comuns:

Diu el clàssic: La mort ho resol tot.
(Si ho verifiques te'n faràs la pell.)

Aquest poema enllaça, amb un aforisme-oximoron, «—el suïcida, coratjós covard», amb el titulat «Suïcida», que comença gairebé amb els mateixos mots i és una sanció de l'occir-se i del triomf, així, de l'individu davant certs personatges amb majúscula, l'«Intrús» i «els de Dalt» que pertanyen a la simbologia teocràtica.[10]

Altres aforismes d'aquests dos «decasíllabs», i referint-se al suïcida, són: «... botxí de tu» i «un caprici cancelles de l'atzar». La mort, però, no és un tema central de *Quatre mil mots*, com tampoc no ho és cap dels altres temes mencionats, car és el conjunt de tots ells el que produeix la consciència existencial.

Aquest posar la mort al seu lloc és una de les raons per les quals clou el llibre amb «A mi», poema inspirat, aquí de debò, en un tema del poeta polonès Rozewicz, i on diu que havia descuidat el projecte de morir i que

A partir de demà
repararé l'oblit,

que bandeja tota obsessió metaempírica. La mort pot venir quan vulgui, no hi ha cap raó vital, ni poètica, que justifiqui convertir-la en un mite. La forma, vers i rima lliures, i el to colloquial, a més de donar peu a una tal interpretació, representen una caiguda lírica fi-

10. No em sorprendria que «Suïcida» l'hagués escrit tot pensant en Gabriel Ferrater, poeta que es va suïcidar l'any 1972.

nal respecte al llibre sencer, són una mostra més del recurs del prosaisme per situar el missatge a l'altura de l'home.

Quant al temps, la durada, el poeta el concep de manera distinta a la tradicional, el seu *ubi sunt* apunta al futur, no al passat. El «decasíŀlab» «Tot és ahir» diu que allò que no és res és l'esdevenidor, «paraula nuŀla». Els homes no avancem temporalment, és el temps que va enrera cap a on hi ha les nostres arrels: «el passat és la terra de cascú», i el futur, a cada instant, «es podreix sobtadament», no pas l'esplendor de l'ahir que preocupava als poetes medievals. La nostàlgia de Jorge Manrique i François Villon l'hem de trobar, doncs, en l'anihilació del demà. Per això el poema es clou amb el vers-estrofa:

Res no és nou, res no mor, tot és ahir.

Conseqüentment a «Nocturn» parla del «temps impartible» i d'«el demble aquietat d'un nadó adult». I a «Em retiro al desert» «pel cel recula tot el que circula». Aquesta visió lírica que projecta un esquema filosòfic nou de la durada, per la raó poètica es transforma en aquelles «la carn i la sang» que, segons Hugh McDiarmid, la poesia proporciona a l'esquelet de la ciència.[11]

Sobre la poesia i els poetes, a més del que he anotat a l'apartat anterior, el poeta inicia aquí un atac contra l'hermetisme poètic que puntualitzaria més endavant en algunes entrevistes a periòdics[12] i al pròleg de *Poesia empírica*. Tot mantenint que la poesia és indefinible, admet un tipus de descripció negativa: «l'únic que la poesia no ha de ser és hermèticament tancada ni tampoc avorrida». Es tracta a més d'humanitzar-la, com diu en aquells versos ja citats de «Llenguatges i paraula», sobre la potència de la paraula en relació als

11. Vegeu Hugh McDiarmid, *Poetry and science* a *The poet's work*, ed. per R. Gibbons, Houghton Miffin Co., Boston, 1979.
12. Vegeu especialment Miquel Alzueta, *Yo declaro...*, *loc. cit.*

ignorants, als morts i als tirans, és l'origen de l'art verbal que es basa en l'experiència més quotidiana. Que aquesta acció del mot té un valor transcendent, com a colofó a la referència que he fet de Hugh McDiarmid, ho confirma el poeta cubà Roberto Manzano quan diu: «*la poesía es una forma de conocimiento tan válida y eficaz como la científica*».[13]

Sobre la religió, quant a sistema de regles morals, indica el despropòsit d'una d'elles: la «Virginitat». El poema, escrit com una lliçó, va més enllà del fet que si es practiqués universalment aquesta virtut, significaria la fi del llinatge humà. Es tracta de l'única virtut negativa i, en negar-la, la redueix a l'absurd, amb l'aforisme-estrofa «l'abundor de virtut mai no és funesta». D'altra banda considera la religió històricament, com «l'assot de Déu» a «Guerra santa». Si la religió ha estat el motiu de tragèdies universals per ella sola o en unir-se els seus representants amb el poder temporal, algunes imatges recorden concretament la guerra espanyola, així la carta dels bisbes en defensa del franquisme a «el bisbe ho signa amb més anell que dits». A aquestes constants històriques el poeta afegeix, a «L'altra fe», un resum densíssim de la seva ideologia contra Roma, i, per extensió, contra tota religió oficial, i advoca per una fe «cristiana» però desvaticanitzada. Aquest poema, per cert, està dedicat a Evangelista Vilanova, monjo montserratí.

Sobre el «poder» cal fixar-se en la línia «anarquista» de Pere Quart, com l'autogovern de l'individu a «Suïcida», i l'èmfasi, amb la repetició invertida de dos versos seguits, del suïcidi del vell a «Guerra santa», davant la decisió del poder representat pel bisbe, i també pels banquers, les dames, el rei, la cort, els militars i els buròcrates. Enllaçat amb un tal desplegament de forces, com la llavor que l'engendra, hom pot referir-se al ja mencionat primer decasíl·lab «Covards», en el

13. Vegeu la revista «El caimán barbudo», 138, La Habana, maig de 1979.

qual figura l'aforisme «la por és la sal del món» que fa de base a allò que deia l'arquebisbe Helder Camara, que la por és un pecat capital tot apuntant als crims de les oligarquies.[14] Recordem, tanmateix, que Pere Quart proposa que «el nombre de covards és infinit», que en principi fa de tots els homes possibles porucs i criminals per obediència estúpida. L'escepticisme anàrquic del nostre poeta, respecte a la societat i al poder, es concreta a «Ciutadà, ermità», quan constata el fet històric de la ineptitud per a construir «... una comunitat / (ja no perfecta) neta d'iniquitats», i per tant ell, o l'home, només pot aspirar a «ciutadà amb càstig o ermità llibert». Això explica la sàtira contra col·locats i oportunistes, els qui suporten i/o manegen el poder, a «Els creadors». La tercera estrofa d'un sol vers en cursiva és un resum dels eslògans dels publicitaris servils: *«crear bellor, progrés, llocs de treball!»*, que contrasta amb la necessitat final de recollir els «fems».

Tot això ens condueix al tema següent, el de la societat. A més de les implicacions socials del que hem vist en paràgrafs anteriors, a «Superhomes» hi ha una visió d'un món ordenat, racional i fred que recorda el *Brave new world* d'Aldous Huxley. Maleeix Prometeu que ja no és pare del foc, sinó del «fum», la raó, el triomf de la qual, per contrast, evoca la bondat superior de l'instint, com ja hem vist en parlar de les estructures dels «decasíl·labs», i mencionat altre cop a «Instint», on confia paradoxalment en aquest per superar «l'estat de les abelles en llur buc». Una visió igualment original, i diferent, de la societat la trobem a «Jo o ningú»: l'home es deu a la societat i, tanmateix, per conèixer-se ha de separar-se d'ella i «... aleshores seré, almenys, ningú». Són aquestes les complexitats i les paradoxes insolubles de la condició humana, originada i arrelada en la societat que coneixem.

14. Vegeu *What you should do in response to the crisis of your times*, conferència pronunciada per Helder Camara, arquebisbe d'Olinde i Recife, al Congrés d'Estudiants de Manchester, 8 d'abril de 1969.

Aquesta societat per al poeta és Catalunya, on té les arrels, el jo i el ningú, i identificat amb ella, el 1969 —trentè aniversari de la repressió— va publicar els «Versos elementals als catalans», on, retòricament, diu què és Catalunya, quins són catalans, i quins no ho són, quina és llur condició davant el poder dels renegats i el dels «Altíssims Senyors»; i elabora la voluntat d'unió dels pobles, i la malesa social contra la qual hem de lluitar, que resumeix en dos tipus de xacres: les de l'individu, l'«enveja», l'«or» i la «por»; i les de la societat, «els paràsits amb vara» (els oligarques) «o espasa» (els militars), «o amb bàcul» (els eclesiàstics), «l'orgull de la sang blava i pútrida» (l'aristocràcia), i finalment el franquisme factual, «el poder d'una força robada...». A les dues darreres estrofes, després de repetir la Gran Catalunya, «Gran» en el sentit geogràfic, que inclou València, les Illes Balears i el Rosselló, i l'anomenada «pàtria petita», veu un futur dicotòmic, «bo o dolent», i no pot fer altra cosa que confiar-lo a les noves generacions, a les quals se sent fortament adherit.

Aquest poema té la seva continuació en dos poemes socials, escrits posteriorment, i on sense anomenar-les, parla de Catalunya i Espanya —i en certa manera de tota la humanitat— i cada frase és una constatació o un aforisme, o ambdues coses a la vegada. Franco ha mort. Les reformes fonamentals ni tan sols es plantegen. D'això tracten el «decasíl·lab» «Banyes al seny» i l'endreça «Als lacais pòstums». El primer es refereix principalment a Catalunya: «Ara reïx el tort dels impostors», «posen banyes al seny: un joc obscè» i acaba amb la distorsió de la dita, «entre tots ho hem malmès gairebé tot», a diferència de l'original, de significat solidari i optimista, «entre tots ho farem tot». Aquesta asserció final fa entendre que parla de Catalunya. Però no tot és pessimisme. Una imatge i un adverbi deixen passar unes escletxes d'esperança: el «pur» del vers 7 i el «gairebé» del vers final. A «Als lacais pòstums», títol també sarcàstic, poema escrit el gener de 1976, poc després de morir el tirà, és un crit al present històric. Cada estrofa és una imatge diferent, i totes i cadascuna evoquen la necessitat de la ruptura amb el passat immediat:

> Mai no emprendrà la nau una singlada
> si abans no lleva l'àncora,

Tot plegat és una mostra més de la lírica aforística per acumulació i gradació, que tanca amb uns aforismes que descriuen l'actualitat històrica:

> Crim contra el poble
> clama venjança,
> genera penes dures.

> Ningú —ni el déu— no pot amnistiar-les!

Els castigats haurien de ser els que són al poder. La ruptura fonda, revolucionària, seria l'únic intent seriós de canvi.

Sobre l'home,[15] sobre ell mateix, trobem quantitativament el material més abundant del recull. Hom pot subdividir-lo en temes:

El del «dolor, la sola veritat vivent», segons diu a «A dos joves engorronits».

La misèria que descriu amb els sarcasmes «el cant d'amor que escalfa les estrelles» (a «Infern») i «compassió: l'enveja del beguí» (a «Amb guany i engany»), actitud miserable que es sobreentén al poema ja citat «Jo o ningú».

La vellesa. A «La mentida» ja l'exposa com a soledat acompanyada, i la descriu sobretot a «Cel de palla» on empra la sermocinació durant tot el poema per a explicar els recursos vitals d'aquesta edat. Defineix el protagonista amb sis adjectius pejoratius: *vell, lleig,*

---

15. Al «decasíllab» «Només homes», fet de dos dístics, deixa assentada la igualtat indubtable d'homes i dones, de la humanitat. Cito el segon dístic: «A parer meu, qualsevol dona, així, / és un home de sexe femení».

pobre, incapaç, xaruc i *míser*. Malgrat això, la seva condició d'home, els seus sentiments, la seva ment, els efectes més lleus i especialment el somni el transformen en

> *Amorós com un príncep de rondalla*
> *inundat de poder i gratitud!*

per acabar amb el sorprenent vers-estrofa, que anivella líricament la visió d'ell mateix, i en relació a la mort, «un jaç poc net serà el teu cel de palla», amb l'invent del significat especial «de palla bruta». Amb tot, vull destacar, quant a la vellesa i a la mort, l'absència absoluta de macabrisme que com el suposat món sobrenatural no encaixen amb la naturalitat de la vida humana.

L'elogi de l'instint i el blasme de la raó, ara manifestats al vers final d'«El meu orgull». Si per a Paul Valéry el sol era la gran taca del cel, per a Pere Quart la intel·ligència és la gran taca de l'home.[16]

L'amor és el darrer dels temes en què subdivideixo el material sobre l'home. Com a constant de la seva poesia apareix sempre de la forma més planera, sense exaltar-lo, com a «raó» de viure, però en aquest recull emfasitza la seva dependència de l'instint. Aleshores l'acte d'amor esdevé un dels moments suprems de l'existència.

Abans de concloure vull mencionar tres «decasíllabs» fantasiosos, a la manera de la «Balada del comte Mal Genet» però sense el contingut directament social d'aquest, i que són «Petita fi del món», «Esperits lliures» i «Somni d'un migdia d'agost». Oscil·len entre l'apocalíptic i el trivial, amb un ambient extratemporal de connotacions medievals.

I tanco aquest capítol amb un comentari al darrer «decasíllab de vell», «Em retiro al desert». En la lec-

16. Vegeu també els «decasíllabs» «Superhomes» i «Instint», on confirma aquesta visió.

tura de molts d'ells hem vist adesiara com hi circula subtilment la ironia i l'autoironia. Ara, en aquest últim, a més d'evidenciar-les, el poeta ens presenta, dins la més severa formalitat noucentista, una caiguda lírica completa. Defineix el dinamisme del món:

> mentre a la terra plana es consolida
> l'insaciat servatge de la dula,

on «dula» és una troballa referent a l'actualitat, car vol dir ramat amb caps de bestiar de diferents cases i un sol pastor pagat per totes elles, mentre ell es retira «al desert de les certeses», a la soledat del jo empíric que contempla l'areny, paradigma de la pau anhelada, del món ideal, «sense estatura», és a dir, «amable» i «pulcra sepultura», però també «suma de petiteses» com el contingut d'aquella urna de la «Decapitació XXV»

> on l'home cada dia diposita
> l'ínfima xifra d'una fe infinita.

IX. «Poesia empírica»

1. AVANTGUARDISME I CONTRAAVANTGUARDISME

El títol *Poesia empírica* del darrer recull de Pere Quart marca un punt ascendent de coincidència entre tota la seva poètica i la que acaba de publicar. Tal coincidència, que no és fortuïta, prova que dins els esquemes d'una possible ciència literària, Pere Quart hi entra com el poeta de l'empirisme en el sentit que en la part fonamental de la seva obra la motivació i la invenció fins al producte final, així com la mateixa tècnica, es donen per la funció personal de l'experiència i l'observació de la realitat amb què en regula tot el procés.

Ara bé, aquesta experiència no té cap tipus de limitació, a part, és clar, de la que comporta el fet de ser humana, i això ho demostra que, tot i que la poesia perequartiana és, com ja he dit en altres ocasions, evolutiva, presenta al mateix temps successives innovacions i un avantguardisme indefinible.[1]

Sobre aquestes característiques intentaré centrar el meu comentari d'aquest darrer recull i cloure'l, en el proper i darrer capítol d'aquest estudi, tot situant-lo en el context de la poesia progressista i mostrant la rellevància d'aquests per ara últims productes seus.

En principi *Poesia empírica* és un nou esglaó ideològic i tècnic que inclou, com acostuma a fer el poeta, un pròleg, signat pel seu doble, Joan Oliver, amb dues diferències: que Joan Oliver i Pere Quart pràcticament s'identifiquen en el text, i que essent com sempre

---

1. Dic indefinible en el sentit que no es pot enquadrar dins unes lleis d'escola o tendència, i que hom podria també anomenar-lo contraavantguardisme.

substanciós, és, aquesta vegada, molt més extens. El poeta pretén justificar-lo tot qualificant-lo de testament. Tot plegat, pròleg i text poètic, sembla que ha confós els crítics i ha produït una certa incomoditat entre la gent del gremi.[2] Així, Alex Broch,[3] a més d'insistir en el tòpic de l'«home vell», i en el de la fidelitat al passat, declara que el poeta «no sorprèn, confirma», la qual cosa és errònia.

Precisament és aquest recull de Pere Quart el més sorprenent dels seus, tant per la tècnica com per la temàtica, de les quals sorgeix una poètica completament encarada al present i al futur, és a dir, intemporal.

Fixem-nos, però, abans en l'aspecte evolutiu, que m'imagino que és el que despista els crítics, i que no hi ha dubte que hom el troba arreu de la seva obra, lògicament, perquè aquesta és la idiosincràcia de l'artista. Per exemple, a *Poesia empírica* el poema noucentista no és el primer —com hom pot observar en molts dels seus reculls— sinó el segon —«Col·lotge nostàlgic a l'ombra d'un tamariu»—, i això té una significació de ruptura aparent amb els reculls anteriors, car el primer poema —«No goso»— és una declaració del seu quefer poètic, sense altre afany que el d'explicar la seva subjectivitat i desimboltura comunicativa. El seu és el nivell de l'home d'ofici amb el qual oculta a les mirades dels experts els poemes més innovadors, amb tot el que vol dir ser un innovador a les darreries del segle xx, quan la poesia es va reduint bé a transcripcions o traduccions amb variants, bé a esquemes de pomposa densitat fets per literats amb més o menys gust i, potser, amb computadora.

Una innovació és, doncs, el fet que no solament el primer poema tracti de metapoètica, aplicada només a l'autor, sinó que aquest tema estigui àmpliament ela-

2. Vegeu «La Vanguardia», 18 de febrer de 1982, l'article de J. FAULÍ, *Un Pere Quart aumentado y corregido*. Un cas d'excepció del que dic és l'article d'Ignasi Riera, a «Treball».

3. Vegeu l'«Avui», suplement «Art i lletres», 14 de març de 1982.

borat al pròleg-diàleg Joan Oliver-Pere Quart. I també que aquest sigui el recull més llarg de tots els que ha publicat, tant pel pròleg com pel nombre de versos que conté, sobretot si recordem que Pere Quart practica la més seriosa autocensura.

Si el poeta parla d'aquest recull com del seu testament, no podem pas dubtar que ho sent així, potser només per càlcul de probabilitats; allò que ens interessa és el fet que aquest suposat testament esdevé el recull català més d'avantguarda o de contraavantguarda dels anys vuitanta —segons el punt de mira d'un possible crític— i que el poeta publica havent complert vuitanta-dos anys i amb plena experiència professional de «compositor» o de «conjuminador» —com diu ell— i que li permet millorar les formes més tradicionals, al mateix temps que practica el seu «manifest» de sembrar causticitat i prosaismes que deneguen tota intenció «creadora» i tot dins una catalanitat estricta. Vull fer constar, però, que el seu manifest no pretén imposar-lo a ningú, alhora que auguro que pot esdevenir el més permanent de tots els manifestos avantguardistes, precisament pel fet de no tenir tal pretensió; podria resumir-se així: «Jo sóc un compositor de poesia lírica però prosaica, filosòfica, però empírica i càustica, una poesia que només aspira a ser catalana i per als catalans.»[4]

Acabo de mencionar allò que en la meva opinió és el millorament de les formes tradicionals —cosa sempre discutible. Exemples d'això els trobem especialment a «Pastoral», glossa del sonet LXXVII del rector de Vallfogona, o «Escoli demesiat», glossa de dos versos d'Ausiàs March, i d'un mode visiblement innovador a «Diàleg enrevessat» que pot llegir-se segons el subtítol, com un diàleg imaginari amb Miquel Martí i Pol, i també com una mena de sermó que Pere Quart adreça al seu doble, i que està constituït per disset

4. Vegeu «D'una conversa amb Pere Quart», pròleg a Pere QUART, *Poesia empírica, op. cit.*

apariats octosiŀlàbics a la manera de les «noves rimades» que, Ramon Llull, entre altres, emprà en una bona part de la seva producció poètica, i que contenen dobles apariats, car cadascun d'ells, a més de la rima externa, porta una rima interna consonant com l'externa:

> Com gatges [els versos] de dies futurs
> imatges projecten als murs.
>
> M'ajuden a perdre la por
> i em muden els fums en claror.

Aquest fragment es refereix especialment a Miquel Martí i Pol.

Com que ja coneixem les constants de la poesia de Pere Quart, les quals poden constatar-se altre cop a *Poesia empírica* —estructures noucentistes, tradicionals, lliures, fórmules del diàleg o de la sermocinació, clàusules parentètiques, caigudes voluntàries en la vulgaritat...—, ara em centraré en l'originalitat del recull que naturalment connecta amb el llarg procés formal i ideològic del poeta, i, per tant, mostra la manca d'estancament. Exemple d'això és «La llamborda vibrant», poema escrit tot ell en monosíŀlabs, com va fer amb la «Tirallonga» de *Circumstàncies*, però, a part la coincidència siŀlàbica, són ben diferents, per una i altra modalitats innovadores.

«La llamborda vibrant», inclosa a la primera secció, és un dels cims estètics, de fons i de forma, del recull. Les dedicatòries són un reconeixement, característic de Pere Quart, de la poesia d'altri, no sense ironia, però al capdavall reconeixement de la profunda participació del poble en la tasca dels seus poetes més o menys afortunats, molts dels quals, i més que mai, són citats per Pere Quart en aquest llibre,[5] tot rebaixant els poetes

---

5. A més de Rossend Llates i Miquel Bac als quals dedica «La llamborda vibrant», al recull *Poesia empírica* menciona directament o indirecta, Ramon Llull (a «No goso» en dir «dretura

cultistes —els «purs»— i poetitzant sobre els populars —els «impurs»— amb la culminació de la sàtira contra-literària més evident al poema de la «III Restauració» dels Jocs Florals, amb la imatge de la reina nua i amb mantellina, i al sonet «Pastoral» que contra tota tradició acaba amb les paraules del pastor: «Recony, jo només vull un cony!» Mostres, extremes, si voleu, d'aquest descordar-se poètic de Pere Quart que no lliga amb l'ortodòxia que sempre ha frenat i encara frena la nostra poesia.

«La llamborda vibrant», si no fos perquè coneixem el context de totes les altres produccions de Pere Quart, podria passar per un dels més importants poemes d'avantguarda, gairebé com un dels suprems poemes-objecte; segons el seu autor, és només un simple joc de paraules. Ara bé, aquest poema no és merament un exercici lingüístico-poètic hermètic o arbitrari. Tornem al pròleg de *Poesia empírica*. Més endavant veurem com allò que ell diu es compleix: «La poesia pot certament presentar dificultats de comprensió, però en aquest cas el mateix autor o un bon exegeta han de poder traduir-la... La poesia que només sona és música barata. Mallarmé, Valéry, el mateix Riba haurien pogut aclarir-ne les foscors... Però d'altres —fidels a un superrealisme ressagat, pastura d'esnobs— no ho podrien pas fer.» Ell proclama que no hi ha poema si no és presidit, ni que sigui mig d'amagat, per la raó poètica. Així, «la

---

e claredat»), Marià i Albert Manent, Josep Carner —amb el pseudònim «Bellafila»—, Guerau de Liost i Carles Riba (a «Col·lotge nostàlgic a l'ombra d'un tamariu»), Miquel Martí i Pol (a «Diàleg enrevessat»), Joan Oliver —ell mateix— (a «Poeta penedit»), Joan Brossa (a la quarta estrofa de «Doncs ell proposa la poesia tàctil»), Serafí Pitarra, Josep Maria de Sagarra i Fages de Climent (a «III Restauració»), altre cop Josep Carner (a «L'excursionista, 1919»), Francesc Vicent Garcia (a «Pastoral»), Ausiàs March (a «Escoli demasiat»), Joan Maragall (a «Cant d'un home»), Josep Carner per tercera vegada (a «Adulteri catòlic 1924»), Xavier Bru de Sala (a «A un poeta jove») i Salvador Espriu (a «A un poeta, endevineu quin»). Aquesta llista no pretén ser exhaustiva quant a les referències.

llamborda vibrant» mostra malgrat tot una riquesa de forma i contingut, i si en aquest poema la raó poètica —i sintàctica— està encoberta és perquè hi són més evidents els tres cops màgics que segons Eliseo Diego obren les portes de la poesia: «*La concisión o seque-dad del golpe, la fuerza del impacto y finalmente esa suprema tensión del golpe de vista en que uno atrapa, como a un relámpago, lo que vislumbra huyendo por la tiniebla del silencio adentro.*»[6] Tres cops màgics que l'autor transmet en aquest cas mitjançant el text que transcric a continuació sense les dedicatòries:

LA LLAMBORDA VIBRANT

Bruit buit frau crim   bosc pi vall cim
Or hort nou déu   pas coll call freu
Torb vent grau Prim   tros esvorancat
Suc bruc blat boll   rem bot porc soll
Creu clau rang urc   zinc te quist goll
tros esvorancat   tom tomb duar burg

Salt rec nas moc   baf buf xai boc
Raig maig moll bus   fum foc fil fus
Llot llac bec broc   tros esvorancat
Buc rusc tren tram   veu vot brum bram
Rull pèl gat gos   llop poll crit clam
tros esvorancat   plat got glop mos

Fill nét llet brou   riu rai nit rou
Cop roc trenc cap   rei ruc rim nyap
Jaç jóc brau bou   tros esvorancat
Pa vi pus sang   cel sol pols fang
Cor pit cul pet   cant ronc béns banc
tros esvorancat   fam fred son set

6. Diego, Eliseo, *Divertimentos* (el pròleg de l'autor), Editorial Arte y Literatura, La Habana, 1975. Aquesta citació, en la meva opinió, és una de les més justes aportacions de l'intent de definir la màgia o misteri en la poesia, a què Pere Quart es refereix com a mancança pròpia.

Podem observar que tots els mots són substantius i monosíl·labs i la manca de signes de puntuació fa que s'hagin de pronunciar amb un ritme uniforme i sincopat. La monotonia que això podria produir es trenca de dues maneres: primer per la intercalació dels «trossos esvorancats», i segon perquè el text com a cal·ligrama mostra una cesura entre cada vers i, per tant, els mots s'han de llegir de quatre en quatre. Altrament, tots els substantius monosíl·làbics es relacionen cada dos o quatre per afinitats sinonímiques, bé directes bé relatives, pel contrast d'antònims, per referències aforístiques o per semblances fonètiques, etc. Així, so i significat estan units dins la poesia més elaborada i en la forma més primigènia.

A part d'una possible interpretació que exposaré més endavant, la relació semàntica i/o fonètica si bé en molts casos és evident, crec que cal aclarir-la en altres. Passo, doncs, a assenyalar-la on em sembla més difícil:

Al segon vers «or» i «hort» tenen una afinitat fonètica que esdevé igualtat en la pronúncia popular d'algunes comarques catalanes, on el mot «or», com altres monosíl·labs acabats amb «r», hom el pronuncia amb una «t» final, és a dir, «or» = «ort». La relació «nou» «déu» del mateix vers és de caràcter semàntic, no pretén ser una afinitat falsa numeral, car la «nou» és el fruit de la noguera tancat en una closca, com també «déu» és un ésser tancat en una closca, amb una diferència, que la de la «nou» es pot obrir, no pas la de «déu». Al quart vers trobem que la relació de dos substantius —«suc bruc»— es refereix a una expressió popular, «ni suc ni bruc». Altres afinitats són tretes d'expressions també populars com «salt rec» (vers setè) de «salta borni que hi ha un rec», «raig maig» (vers vuitè) de «pel maig cada dia un raig». De relacions semàntico-humorístiques i iròniques no en manquen: la de «zinc-te» (vers cinquè) s'expressa simplement en la frase «el te de les cinc»; i per tant és equívoca, mentre que «nas moc» (vers setè) com «cul pet» (vers dissetè) són relacions òbvies, com les del vers catorzè «rei ruc», on el mot «ruc» pot llegir-se com un substantiu adjectivat, al·lusió indubtable a tota mena de monarquies, i «rim nyap», al·lusió a qualsevol quefer d'un poetastre. Igualment humorístic és el *pun* del mateix vers «cop roc trenc cap» que evoca la frase «d'un cop de roc li trenca el cap». En el terreny de les dificultats hi ha també relació de rimes falses, com hem vist a «or hort», i més pròpiament, sense el recurs de la pronúncia popular, ho trobem a «tom tomb», on no hi ha, en principi, cap afinitat semàntica, car «tom» vol dir volum, llibre i «tomb» passeig, si bé, en un intent d'interpretació hom podria dir que llegir un llibre és un passeig mental. Un altre tipus de relació és la dels mots «bec» i «broc» del vers novè, que a part de certa semblança fonètica, també la tenen semàntica i física. Finalment hi ha el cas «llop poll», on amb les mateixes lletres es formen dos noms d'animals diferents.

Aquest poema, que, a més, conté una rima interna i externa, permet una interpretació fonda que resumiria dient que tracta de la base existencial de l'ésser humà, allò que és i allò que el rodeja, i d'un mode diferent a la poesia anterior de Pere Quart i a d'altres poemes d'aquest mateix recull. La manca absoluta de construcció sintàctica, ni un sol verb, ni un sol adverbi, ni una sola preposició o article, ni un sol adjectiu, a part de la inserció de «tros esvorancat» en cursiva que fa de la composició el cal·ligrama d'una llamborda, dóna al poema un monoritme percussiu a través del qual els conceptes guanyen un triple valor ben específic: per ells mateixos, per la seva relació amb els immediats, i com a elements d'un tot sense altre lligam que el fonètico-semàntic. Una lectura ben feta, com ja he insinuat, produeix l'efecte d'un primitivisme català d'imatges i idees escarides, però tanmateix, a sota d'això hi ha una elaboració acurada que fa que el poeta ens comuniqui una visió de l'home i del món amb una extraordinària economia totalment antiretòrica.

«La llamborda vibrant», en la seva versió primera, abans de publicar-se, començava amb la relació semàntica alhora falsa i vertadera «set buit». Falsa si s'entenia els números correlatius 7 i 8 —pel so de «buit» = «vuit». Vertadera perquè el buit produeix la set, i així el mot «set» era l'únic signe repetit i amb ell començava i aca-bava el poema. En publicar-lo Pere Quart ho va canviar per «Bruit buit»,[6 bis] és a dir, «remor» i «vacu», amb la qual cosa obria el poema amb un contingut més ampli, mencionant la condició social i natural —«bruit»— i l'existencial —«buit»— de l'home, inici que quedava igualment lligat, sense l'èmfasi exclusiu del mot «set», que fou reservat per al final amb l'enumeració dels qua-tre darrers monosíl·labs —«fam fred son set»— que in-diquen les necessitats fonamentals de l'home, i que en català tenen una sola síl·laba.

No vull pas estendre'm en una exegesi que és sem-pre una manera d'interposar-se entre l'autor i el lector, però no em sembla fabricar prejudicis si constato al-gunes de les meves interpretacions basades en la rela-tiva objectivitat que tot text conté i comunica. Així els mots «Bruit buit», «frau crim», que formen el primer vers del poema, descriuen el caràcter de tota associació d'home —«tant de sexe masculí com de sexe femení». «Or hort» són les imatges tradicionals de la riquesa i del benestar. «Grau Prim», el grau d'en Prim era el de general, i que es refereix a l'únic general català que va arribar a tenir poder en l'era borbònica. Tant «veu vot» com «brum» —remor llunyana —«bram» —remor forta a la manera de l'ase que brama— tenen unes afinitats per parelles ben evidents; ara bé, en llegir els quatre mots plegats —«veu vot brum bram»—, tal com apareixen al text, no repugna veure-hi un significat sò-cio-polític: la veu del poble que es manifesta amb el vot és una remor llunyana —un «brum»— que produeix, o és produïda pel «bram» —l'oratòria i la retòrica dels polítics. Hi ha també la menció d'imatges primitives com «duar», població antiga feta de tendes i cabanyes,

6 bis. Aquí «buit» no és un adjectiu, sinó un substantiu (es-pai desproveït de matèria).

i «rai», embarcació feta amb troncs d'arbre. I les constatacions d'humors naturals d'òrgans o petits fenòmens de l'home a «pus sang», «cor pit» i a «cul pet» i «cant ronc», aquestes dues darreres parelles compensadores de qualsevol intent d'interpretació elevada. El «treball» també hi surt mencionat, com a quelcom que pertany a l'ordre instintiu dels animals, propi d'ells, no pas de l'home, a «Buc rusc». Constants d'actualitat històrica són «rei ruc», i en la literatura «rim nyap».

En conjunt, doncs, Pere Quart ha inventat un text que per sí mateix consigna els tres cops màgics que he citat: la concisió, la força de l'impacte i la tensió d'entendre-ho més enllà de la raó. Distinta devia ésser la idea de Rossend Llates quan va inventar el títol de «La llamborda vibrant» per a un llibre, potser més ambiciós, però no la d'encertar definitivament el fitó, cosa a la qual avui és molt difícil que aspiri cap poeta dels qui segueixen la moda.

Potser el lector trobarà que he insistit massa en l'anàlisi d'aquest poema, però trobant-me com em trobo condicionat per les proporcions que pot tenir el meu llibre, m'ha semblat que pagava el dret d'estendre'm sobre una peça que considero una de les més paradigmàtiques del recull per la seva originalitat, que també es revela en molts d'altres poemes del llibre, i que malgrat tot no ha sabut veure la nostra crítica literària de «vol gallinaci» —i ho dic amb una frase proverbial de Josep Pla.

2. *EL POETA EMPÍRIC DE L'ALLIBERAMENT*

Dos fenòmens sòcio-polítics d'actualitat apareixen com a material poètic, no tan sols com a motivació, en aquest darrer recull, i són la «democràcia» i el «cristianisme». Es tracta de l'assimilació contínua de la història per part del poeta, dins la nostra intrahistòria, punt de renovació forçosa, i que ara ja està provat que és un tret imprescindible en qualsevol obra poètica, segons el que diu Saúl Yurkievich:[7] «*La poesía moderna muestra que lo real es poetizable en su totalidad*» i, més endavant, «*una nueva realidad engendra una nueva poesía.*»

Si bé Pere Quart dedica moltes pàgines del llibre en qüestió —«Edat antiga II»—, com ja havia fet anteriorment,[8] al passat autobiogràfic, i d'altres com «La germaneta», «Conjura i ruptura 1939», i «Somriure blanc, material postís», la majoria de les composicions d'aquest llibre, quantitativament però també qualitativa, les centra en el present. Ja sabem que l'emmelangiment o l'esplín no han estat mai una característica dels seus productes. Així, en totes les seccions en què ha dividit el recull l'actualitat ocupa una part preponderant, bé pel to del poema, bé pel tema, o per ambdues coses a la vegada.

Quant a aquestes seccions, no crec equivocar-me quan dic que les ha assenyalades per facilitar la lectura. La darrera —«Jesusisme Exegesi casolana Contra els intermediaris»— respecte a la qual diu que l'ha feta estampar amb una «tipografia més modesta, com si es donés vergonya de sortir al carrer en lletres de motlle», i que l'ha escrita en vers només per raons mnemotècniques, constitueix, al meu entendre, un resum de l'evolució del seu pensament religiós el qual, tot i no ser netament místic, cap poeta no ha gosat exposar en públic, i esdevé en català l'exemple de la teologia cristiana anomenada de l'alliberament.

Insisteixo, doncs, en el fet que el recull sencer té una actualitat unitària, fins i tot en els temes sobre el passat autobiogràfic, amb el material intrahistòric de l'home envoltat, vulgui o no vulgui, pels suposats va-

7. Vegeu el seu article *Realidad y poesía* a *Los vanguardismos en la América latina*, Casa de las Américas, La Habana, 1970.
8. Vegeu Pere QUART, *Circumstàncies*, op. cit., i el meu comentari d'aquest llibre.
9. El principal poeta representant de la teologia de l'alliberació és Ernesto Cardenal.

lors de la «democràcia» i del «cristianisme»; i escric aquests darrers mots entre cometes perquè, ja abans que forneixi el material poètic, el seu contingut semàntic no sempre coincideix amb el sentit que hom els atribueix automàticament. Endemés no crec que em calgui explicar la importància, encara avui, del cristianisme o de les religions, com a recurs de l'home, des de les necessitats i justificacions psíquiques fins a les econòmiques, així com les socials i les polítiques,[10] de manera que «democràcia» i «cristianisme», per a molts, també són concomitants.

Pere Quart, naturalment, no intenta definir-los, car no és aquesta la tasca del poeta, però sí que qüestiona i desemmascara la part regressiva que comporten, en poetitzar llur pràctica, al mateix temps que la de l'home natural i el social, fent referència a la realitat ensems circumstancial i existencial. Aquesta substància intra-històrica és evident en una lectura dels textos de *Poesia empírica* i em sembla innecessari desenrotllar el tema. El que sí vull demostrar és una altra cosa: Pere Quart, en assimilar empíricament el present històric, posa els pilars d'una poesia futura, tot coincidint amb les proposicions universals dels avantguardismes dels darrers cent anys.

Quan fustiga les forces anacròniques de la nostra societat —poetes, pensadors, periodistes, polítics, mistagogs, «tots els que fan un ús extralimitat (transcendent o banal) de les paraules», com diu Francesc Vallverdú—[11] no és pas per causticitat o derrotisme, sinó perquè vol salvar l'essència revolucionària, i, per tant, rebutja la pràctica d'una deshumanització —o descomposició, en totes les arts— que avui ja sabem que no porta enlloc o, si porta a algun lloc, és a la mediocritat, a la vulgaritat, al regressisme més nefastós —amb què

10. Aquí vull recordar una nota còmica: Reagan enarborava el llibre de la Bíblia com la seva única font d'inspiració, pocs dies abans de ser elegit president dels Estats Units.
11. Francesc Vallverdú, «Un llibre cada mes», secció de «Serra d'Or», maig de 1982.

alguns, en circumstàncies favorables, s'asseguren i mantenen una posició rendible.[12]

I això, concretament en ell, no és nou. Recordem, per exemple, que els elitismes noucentistes i surrealistes Pere Quart ja els superava en els poemes del primer recull que va publicar.[13] També crec haver demostrat, al llarg d'aquest text, que el nostre poeta no és un moralista, en el sentit que mantingui una tal actitud a través dels seus versos. No oblidem que ara, les recomanacions i requeriments, que abunden a *Poesia empírica*, tenen un caràcter irònic o satíric, segons el tema, i fan trontollar la moral pública i l'escala de valors individual i col·lectiva, començant pel valor de la mateixa poesia que únicament l'enalteix perquè és un ofici com un altre i la més pobra de les arts. Ja he dit, i repeteixo, que és difícil de qualificar de moralista qui ha dit que la moral no és un valor permanent.

Tanmateix, ¿no coincideix tot això amb l'art poètica de Verlaine quan afirmava que «la nova poesia ni pesa ni s'imposa»?

Dos són els poemes que comentaré específicament respecte a l'actualitat. Un centrat en el jo, l'altre social. El primer pertany a la secció II que titula «Pensades», és a dir, idees que senzillament ens vénen a la ment, escrit a la manera d'una deprecació, porta el títol de «Cant d'un home». El segon és l'«Impromptu del bon atracador», relat paròdic d'un fet acostumat en aquest temps de la nostra extravagant «democràcia», i sovint notícia periodística, que pel seu contingut narratiu entra a la secció III, la titulada «Crònica».

El títol «Cant d'un home», amb l'article indefinit o amb el numeral «un», no «imposa» transcendència al

12. Enmig d'una poesia antiretòrica, lliure i irònica, sorprèn el seu «Projecte d'himne nacional», retòric, però, això sí, al mateix temps ajustat al nostre temps, sense xovinisme i enaltidor de la bandera, imatge d'una Catalunya sobirana que reclama la unitat i la força dels seus homes.

13. Vegeu Pere QUART, *Les decapitacions, op. cit.*, i el primer capítol d'aquest llibre.

poema, és una «pensada» d'un home qualsevol en algun lloc incert, no pas el cant que tots els homes haurien d'alçar a un possible déu. És l'oració o petició de pau a la terra d'un «cristià en potència»,[14] tot contradient el vers de Joan Maragall que fa de lema del poema, «Si el món ja és tan formós...». Si el «Cant espiritual» de Maragall pot ser considerat com una tesi, el «Cant d'un home» és una antítesi en el terreny humà que porta en sí mateix una síntesi escèptica en el vers final «Senyor, misericòrdia!», que algú podria interpretar erròniament com una claudicació davant les religions, o el sentiment religiós, quan en realitat, en relació al context, és una reafirmació de la tragèdia històrica i una autoironia, car els precs subjectius del poeta són plenament personals i empíricament utòpics. És més, aquí «Senyor» s'ha d'entendre exclusivament com a «possible déu», perquè és el mot més clar, a l'abast, que el poeta pot emprar. I és aquest «possible déu» l'únic que pot tenir misericòrdia de nosaltres, davant del qual tots els altres «senyors» i poders de la terra queden destronats i ridículs.

La clau del poema són els versos 29 i 30:

La fe en un Cel ulterior em falla
i el No-res —res de res!— no el puc concebre.

Sobre aquest desesper humà, el poeta invoca el tal «Senyor», però des de la terra i per a la terra. Aquesta novetat Pere Quart l'acompanya d'una de les seves constants ideològiques: «Eternitat és goig en quietud», que l'ha portat a trobar ara l'única solució terrena: que aquest possible déu, ja que l'home no pot fer-ho, aturi «la carrera, el curs, el Temps», que mati «la Mort», que per a la raó humana solament és realitzable no acreixent «la Vida».

Aquesta deprecació està muntada sobre la cruel indiferència de la natura, i els crims i el dolor i la por de

14. Així ha qualificat Pere Quart un teòleg català, monjo de Montserrat i ment tan oberta com li és possible.

l'home, i tot plegat fa afirmar al poeta que el món és «formós i monstruós alhora!» —contrari a l'autosatisfacció terrenal de Maragall. D'altra banda, aquest poema, de poesia lliure i rítmica, conté gran nombre de signes d'admiració, dels quals Pere Quart no acostuma a abusar, com tampoc de les paraules amb majúscula, i n'hi ha diverses: Natura, Senyor, Cel, No-res, Aventura, Creador, Realitat, Atzar, Necessitat,[15] Temps, Mort, Vida i Bellesa. Tot això comunica una sensació d'urgència, tanmateix merament personal, sense que el poema pretengui arribar més enllà de la crida desesperada:

> Dolç desenllaç per a la temerària,
> tan abusiva lluita universal!

per part d'un «cuc raríssim» —tal com l'autor es defineix aquí— «i que es pensa que pensa...».

A més de l'actualitat del poema dins de la nostra era nuclear, vull anotar que presenta uns paral·lelismes amb els ideals del nirvana, i, referint-nos als poemes «jesusistes» de la secció final, amb la teologia de l'alliberament. El repòs universal és una de les fórmules a les quals els budistes i, fins i tot els parapsicologistes, pretenen arribar; mentre que fragments com el de:

> Crims terrífics, atroces agonies;
> i tanta fam, i els odis i les guerres
> amb tanta sang, obra brutal dels homes.
>
> L'altiva iniquitat dels poderosos!

són les imatges precises que inspiren els teòlegs de l'alliberament,[16] amb fórmules ja no pacifistes davant el silenci del déu possible en el qual aquests creuen.

15. Mot afegit posteriorment al poema per l'autor.
16. Vegeu també el poema final d'aquest recull, «Romanço herètic de carrer», on Pere Quart exposa, en la meva opinió, les bases humanes d'aquesta teologia.

L'«Impromptu del bon atracador» és ben diferent, i demostra un cop més la varietat poètica de Pere Quart. És una estampa barcelonina, una improvisació de certa durada amb material periodístic. El poema, doncs, és narratiu, i dramàtic i s'evidencia tot seguit, quelcom nou: hi ha uns passatges d'un castellà col·loquial i impecable que, tret del vers *Justicia y Orden*, corresponen a la parla del protagonista, *Juanjo el Randa*, que es presenta d'entrada, al primer vers, com a atracador. Que Juanjo parli en castellà fa que l'acció del poema tingui un intencional caràcter realista. Juanjo és el bon atracador perquè ell no va a fer mal, ell només vol allò que creu que li pertoca. Tot li surt malament i espera que se l'endugui la policia perquè així almenys per una temporada no haurà de preocupar-se més de les necessitats bàsiques. Aquí hi ha un paral·lelisme amb el «*Juan sin Nada y hoy con Todo*» del poema de Nicolás Guillén *Tengo* (1964) amb una certa coincidència dels noms: Juanjo i Juan. La distinció fonamental és que Guillén escriu el poema després del triomf de la revolució cubana i ens explica com Juan, que abans no tenia res, ara té totes les necessitats bàsiques cobertes i encara més. Si continuem amb aquesta comparació, veiem que el poema de Pere Quart és pre i pro revolucionari: a Catalunya, i per extensió a Espanya, on la «democràcia» no ha resolt res, ens cal per tant, «la revolució que la Història ens deu», frase de Pere Quart que he citat en un altre lloc. Aquest missatge revolucionari indirecte, no solament apareix en una comparació amb *Tengo*, sinó també en el contrast entre els personatges de la narració. Juanjo representa el poble indigent i dóna la cara, fa un acte d'una certa valentia i sap que es juga la pell, a diferència dels altres tipus que representen la burgesia alta i petita i la força de l'ordre que aquesta comporta i als quals l'autor caricaturitza. L'atracament passa en una «sucursaleta» i el director és al bar —a fer les «deu hores» com deien els pagesos de la Garriga ara fa trenta anys—, els auxiliars del banc s'escapoleixen cap a l'eixida, la clienta es desmaia i, quan es revifa, «d'un braçat l'atracador l'aixeca» i «a poc a poc peona cap a fora,/cruixida; llagrimeja». El caixer fa el seu paper d'esclau resignat i entenimentat i l'escamot de la policia el poeta ens el descriu com un «tumult sumptuós, por ensinistrada, que per error arriba massa d'hora». L'ambient realista també esdevé caricatura en mencionar «uns pòsters que prometen als mísers opulència...». El desenllaç de l'atracament, a part de la policia que s'enduu en Juanjo, és allò que diuen els versos finals:

> *Per al caixer una paga extra*
> *i la* merdalla *del coratge cívic.*

L'actualitat de la democràcia és, doncs, per a Pere Quart, un procés negatiu, injust, que només podia haver-se salvat amb la ruptura que «imposava» la mort del dictador.[17]

Malgrat la dissimilitud temàtica dels dos poemes, així com la de molts altres d'aquest recull, crec possible arribar a descobrir una actitud fonamental de Pere Quart, respecte a la intrahistòria hodierna i en connexió amb el tot temporal, passat, present i futur. És la motivació revolucionària, continguda en els missatges del producte sencer —com els dos que acabo de comentar— i en el de certs passatges que sempre, encara que siguin parentètics, formen part essencial del conjunt poètic.

Bé és veritat que hi trobem alguns poemes estrictament humorístics, però també entre aquests n'hi ha que porten una càrrega revolucionària, de la necessitat d'un canvi radical,[18] així en «Moral burgesa»:

17. Aquesta interpretació la confirmen altres poemes com «Síntesi», «Parlament», «Abril 1980», «Alta política llur» i «La solució de l'il·lús», a la secció IV —«Entrepans calents»— d'aquest mateix recull, que acaba amb un poema apocalíptic propi del nostre temps nuclear: «Notificació urgent.»
18. Que en temps de la dictadura Pere Quart rebés premis i distincions de grups antidictatorials sembla lògic, però que ara els rebi, i de la Generalitat, i precisament arran d'aquest recull, em sembla un contrasentit.

Que Déu ens doni un bon sol
i guerra a Sebastopol!
El meu avi patern sovint ho deia.
I quan ho deia, saps què feia? Reia!

Els valors burgesos queden ridiculitzats merament exposant-los en el text que descriu amb algun tret dels seus portaveus.

D'altra banda són material abundant del recull, la vellesa, com una experiència vital —vegeu «Escoli demesiat» i «Somriure blanc, material postís»— i no sense humor —vegeu «Calefacció reial»—, i la mort com una realitat indefugible, afrontada també amb dosis d'humor —Hom ha sentit Pere Quart autoanomenar-se «cadàver imminent»; i vegeu poemes com «Instruccions elementals per al tractament dels fidels difunts» o «L'Hora de les alabances».

Però sigui quin sigui el resultat final, sempre consisteix en un contramite mitificat empíricament i estètica, i crec que aquesta és la definició més exacta dels temes dominants en tota la seva obra. Aleshores, aquestes dues característiques inseparables —l'empírica i l'estètica— són dues vessants que aprofundeixen la seva obra: la de l'home, un de tants i el seu entorn, enmig del quefer quotidià continu i indefugible, però tanmateix un home nou, despullat dels valors inhumans tradicionals, disputador dels suposadament indiscutibles i cercador dels fonamentals per a recomençar, partint d'un nou projecte. I l'altra, la possibilitat de l'home nou d'identificar-se lliurement amb el poeta com a faedor o com a protagonista.

La primera vessant l'he mencionada sovint, i és la culminació de la lírica que he qualificat a l'altura de l'home, mentre que la segona pertany a un camp més subjectiu, i aquest camp a penes pot ser assenyalat per una anàlisi literària.

Al capdavall, el missatge essencial de la poesia de Pere Quart és que l'home assoleixi la plena identitat a través de la pràctica subversiva, la qual és paral·lela a la ideologia dels teòlegs de l'alliberament, però amb la diferència que ell, honradament, no pot creure en la divinitat del Crist, car el seu «jesusisme» és estrictament humà (vegeu molt especialment «Sacrificis» on el màxim que accepta és que Jesús era un superhome, el més important entre tots els que ell ha conegut). I aquest missatge dels seus productes es dóna en el progressisme tangible de tots ells, en la ironia, en el sarcasme i en l'autoironia, en les innovacions formals i en les semàntiques, en el lirisme i en el prosaisme, en la poesia directa i en la indirecta —en les admonicions, en els aforismes, en la crítica positiva i negativa—, en el subjectivisme metapoètic, en l'actualització de la intrahistòria i en la humanització contínua del món a partir de l'egocentrisme. Tot entrellaçat, amb els èmfasis necessaris per fer de la poesia un afer obert i atraient, pro i contramític, seguint allò que ja deia Tristan Tzara, que «la vida i la poesia no són res més que l'única i indivisible expressió de l'home a la cerca d'un imperatiu vital».

Crec que hom pot concloure que Pere Quart és el «poeta empíric de l'alliberament», i la seva poesia manifesta les arrels del futur de l'home i de Catalunya. ¿Què més podem demanar a un pensador, a un governant? I què més podem esperar d'un poeta?

3. POST SCRIPTUM

Vull acabar aquest capítol i aquest llibre amb una declaració que deixa de banda els mèrits estrictament literaris, que de segur conté el llibre més recent de Pere Quart, i es cenyeix a posar en relleu els valors cívics, polítics —en el sentit més ample de la paraula—, socials i, en definitiva, morals que s'hi manifesten, més enllà i més ençà de la bellesa formal i retòrica, per damunt del gaudi estètic, que la poesia en general pretén de proporcionar, i dels filosofismes o psicologismes que formula, gairebé sempre en detriment de la seva capacitat de comunicació.

Pere Quart —Joan Oliver— ha proclamat, en vers i en prosa, la funció solidària, didàctica, satírica i a vegades simplement jocosa —els homes hem de jugar, diu ell—, que atribueix a la poesia. S'ha declarat enemic del pur esteticisme i de l'intimisme que acostumen a desembocar en l'hermetisme.

Hi ha un fet palmari: Pere Quart és avui, pràcticament l'únic poeta català combatiu i de protesta. L'únic que denuncia les tares d'una societat edificada sobre les bases de la injustícia, de la hipocresia i de la comoditat burgesa. I *Poesia empírica* és, fins ara, el punt més alt d'aquesta lluita contra el preciosisme tancat que impera en la nostra lírica, un preciosisme que es disfressa sovint de superrealisme, fronterer aquí i allà de la cursileria; un quefer poètic que abusa de les metàfores absurdes i gratuïtes, i dels eufemismes amb què suavitza les imatges que podrien desplaure als poderosos que manegen i imposen, «democràticament», el «sistema».

El cert és que els nostres poetes —sobretot els més joves— sembla que només es destapen en el camp de l'erotisme, un camp que els dirigents de la «transició», consideren tàcitament inofensiu i com una vàlvula d'escapada.

Els nostres poetes, en efecte, no es volen comprometre, són en tant que ciutadans, mòdics, porucs, bons minyons. Aquesta és la raó que, a parer meu, explica per què el darrer llibre de Pere Quart ha caigut malament a molts dels seus col·legues. De fet ha estat per a ells una extralimitació incòmoda, molesta, inoportuna. Temen que llurs cauteles, llur conservadorisme, llur ortologia —més bé ortodòxia—, hagin quedat massa en evidència. Els poetes no volen produir onades en els llacs respectius on a penes es bressen.

Per això em permeto d'opinar que *Poesia empírica* constitueix una fita que tant pot ser un punt de partida com —i això és el més probable— la darrera veu coratjosa, amb el cor als llavis i un crit sense eco condemnat a l'oblit. I sempre, tanmateix, allò que diu Ignasi Riera: un llibre que en sobreeixir tanta llibertat es converteix en una referència ètica indispensable.[19]

No oblidem que per judicar sense noses tota la poesia de Pere Quart, cal tenir molt en compte que ell és, ara com ara, l'únic poeta català —si no m'erro— que ha viscut o ha sofert tota la nostra història del segle a partir de la darrera monarquia borbònica de debò, passant per la primera dictadura, per la república, per la guerra d'agressió, per la derrota, per l'exili, fins al retorn a Catalunya, amb l'empresonament i vint-i-cinc anys i escaig de resistència, amb escorcolls policíacs, detencions i multes, i ara amb aquests anys decebedors del que podríem dir-ne democràcia oligàrquica. Amb aquest currículum, Pere Quart, home d'una lucidesa gairebé malaltissa de tan aguda, escriu versos afeixugat per una experiència negativa, que el decanta al pessimisme, propensió que, com diu ell, és una assegurança contra successives i, segons sembla, implacables decepcions. Però amb tot, resisteix i es defensa amb la paraula irònica i sarcàstica. Ell ha dit més d'una vegada que «fa més de seixanta anys que va amb els que perden». Si més no per això s'ha guanyat a pols el títol que encapçala aquest estudi: *Un poeta del nostre temps.* Per molts anys!

19. RIERA, Ignasi, *Pere Quart, poeta o profeta?*, «Treball», abril de 1982.

225

15.

1899   Neix a Sabadell. Quart fill d'una família industrial i terratinent.

1909   Viu de la vora la Setmana tràgica.

1909-16 Estudia el batxillerat als Escolapis de Sabadell.

1918   *Primícies,* primer recull de poemes que consta d'un sol exemplar, manuscrit i decorat pel seu germà Antoni.

1919   Forma amb Francesc Trabal, Armand Obiols i altres l'anomenat «Grup de Sabadell».

1923   El grup s'apodera del «Diari de Sabadell». N'és redactor i més endavant director. Usa els pseudònims de Feliu Camp de la Sang, Florentí Carvallà Cot i Joan Pendonista, Orella dreta, etc.

1925   Amb el mateix grup funda les edicions «La Mirada». Publicaran divuit volums i fulls solts. El primer llibre l'escriuen col·lectivament, el titulen *L'any que ve* i el signa Francesc Trabal.

1926   Fixa la residència a Barcelona. *Una mena d'orgull,* peça de teatre en un acte, estrenada a Sabadell, inèdita.

1926-28 Escriu la secció «Degotís» al «Diari de Sabadell».

1928   Publica el llibre de narracions *Una tragèdia a Lil·liput.*

1929   Publica a «Mirador», números 34-36, *Gairebé un acte o Joan, Joana i Joanet* (teatre).

1930   Traspassa amb Trabal les edicions «La Mirada» a Edicions Proa.

1934   Pren el pseudònim de Pere Quart per a signar el seu primer recull de poesia, *Les decapitacions.* Pseudònim que, a partir d'aleshores, utilitzarà sempre quan es tracti de poesia.

1935   *Cataclisme,* obra de teatre estrenada a Reus i representada al Poliorama de Barcelona.

1936   President de l'Agrupació d'Escriptors Catalans, filial de la UGT. Cap de publicacions de la Conselleria de Cultura de la Generalitat. L'*Oda a Barcelona* (poema). *Allò que tal vegada s'esdevingué* (teatre), estrenada a Mèxic el 1954.

1937   Fundador amb altres, directiu i cap de publicacions de la Institució de les Lletres Catalanes. Publica *Bestiari* (premi Joaquim Folguera de poesia 1936). Publica *Contraban* que inclou l'obra anterior en prosa, cinc narracions noves i la comèdia *Cambrera nova*. Escriu la lletra de l'himne de l'exèrcit popular català.

1938   Redactor de «Meridià». *La fam* (Premi Teatre Català de la Comèdia, estrenada el mateix any a Barcelona). Estrena *L'emboscat* i *La fi d'en Cagalàstics*, peces en un acte, avui perdudes. Mobilitzada la seva lleva s'incorpora a l'exèrcit quan la unitat on el destinen ja es retira cap a la frontera. Reclamat per la Conselleria de Cultura s'encarrega de l'evacuació dels intel·lectuals compromesos.

1939   Exili a França, on resideix al castell de Roissy-en-Brie i després a Saint-Cyr-sur-Morin. S'embarca a Marsella cap a Buenos Aires el 12 de desembre.

1940   Fixa la residència a Santiago de Xile. Col·labora a «Catalunya» de Buenos Aires i a «Germanor» de Santiago de Xile, revista que ben aviat dirigeix i renova.

1942-44   *Guerrillas del aire*, trenta peces de ràdio-teatre antifeixistes sobre episodis de la guerra internacional, perdudes. *L'amor deixa el camí ral*, comèdia que estrena i dirigeix amb el Quadre Dramàtic del Centre Català de Santiago.

1947   Funda la col·lecció «El Pi de les Tres Branques» amb Xavier Benguerel, en la qual publica el seu recull de poesies *Saló de tardor*.

1948   Torna a Catalunya. Dos mesos i mig a la presó Modelo de Barcelona.

1949   *Poesia* de Pere Quart (obra completa que inclou *Saló de tardor* amb variants a causa de la censura).

1951   Per la traducció al català d'*El misantrop* de Molière, rep el premi del President de la República Francesa als jocs florals de París. Publica i estrena *Quasi un paradís* (teatre).

1952   Traducció al català i edició de *Set diàlegs de bèsties* de Colette, il·lustrada per Granyer. Edició d'*El misantrop* amb aiguaforts del mateix artista.

1953   Escriu *Epístola d'alta mar* (poema).

1955-63 Col·labora a l'Agrupació Dramàtica de Barcelona com a autor, traductor, assessor i, més endavant, com a Vice-president.

1955   Dirigeix la primera època de la col·lecció «El Club dels Novel·listes».

1955-56 Guanya amb *Terra de naufragis* (poesia) el premi Óssa Menor. Col·labora a la revista «Destino» amb el pseudònim de Jonàs i en castellà.

1957-63 Treballa a l'editorial Montaner y Simón com a cap de redacció de la versió castellana del Diccionario Literario Bompiani. Estrena la seva versió al català de *Pigmalió* de G. B. Shaw.

1958   Director de l'editorial Alcides. *Ball robat* (teatre), estrenada sota la seva direcció a Barcelona i publicada el 1960 amb pròleg de Joaquim Molas. *La barca d'Amílcar* (teatre), estrenada a Barcelona i inèdita.

1959   Funda i dirigeix els «Quaderns de Teatre A.D.B.». *Primera representació* (teatre), estrenada a Barcelona i publicada el 1960. Escriu *Tercet en re* (mostra de «teatre econòmic»).

1960   Publica *Vacances pagades* (premi de poesia Ausiàs March 1959 i premi Lletra d'or 1961). *Temps, records* (premi Martí Peydró i inèdita). *Tres comèdies: Primera representació, Ball robat, Una drecera* (Editorial Selecta). Aquesta última havia obtingut el premi Àngel Guimerà de teatre del 1957 i la va estrenar el 1961 amb el títol de *La gran pietat*. Tradueix al català *Tot esperant Godot* de Samuel Beckett.

1961   Tradueix al català *Tres farses russes* d'A. P. Txèkhov.

1962   *Dotze aiguaforts de Josep Granyer* (poesia).

1963-82 Director literari de les Edicions Aymà-Proa.

1963   *Obra* de Pere Quart (poesia completa). *Biografia de Lot i altres proses* (totes les narracions, algunes inèdites). Tradueix al català *L'hort dels cirerers* d'A. P. Txèkhov, *L'òpera de tres rals* de B. Brecht i *El criat de dos amos* de Carlo Goldoni.

1964-70 Col·labora a la revista «Serra d'Or» on obre una secció amb el títol «Tros de paper».

1965   Escriu el monòleg *El mercat comú*.

1966 Assisteix a la constitució del Sindicat Democràtic d'Estudiants de la Universitat de Barcelona (SDEUB) al convent dels caputxins de Sarrià, el detenen a Comissaria setanta-dues hores i li imposen una multa de 150.000 pessetes. *Lloguem-hi cadires*, espectacle teatral de texts publicats i inèdits de Joan Oliver o Pere Quart, prohibit per la censura.

1967 Assisteix a l'homenatge al doctor Jordi Rubió convocat pel SDEUB i el detenen setanta-dues hores a Comissaria.

1968 *Circumstàncies* (poesia). Grava el disc *Poesia de Pere Quart: Dotze poemes dits per l'autor*.

1969 *De Joan Oliver a Pere Quart*, conjunt d'estudis sobre la seva obra literària, amb motiu del seu setantè aniversari.

1970 Rep el Premi d'Honor de les Lletres Catalanes. Participa i clausura el Primer Festival Popular de Poesia Catalana, i li imposen una multa de 10.000 pessetes. Estrena a Terrassa l'obra de teatre *Vivalda i l'Africa Tenebrosa* que publica amb *Allò que tal vegada s'esdevingué*, *Cambrera nova* i *Tercet en re* a *4 comèdies en un acte*. *40 dies de Joan Oliver*, espectacle teatral a Barcelona que consta de *Cambrera nova* i *Allò que tal vegada s'esdevingué*. *Tros de paper* (recull d'articles i narracions), Edicions «Cinc d'Oros».

1972 *Bestiari i escarnis de Pere Quart*, dirigit per Ventura Pons i música de La Trinca (espectacle amb textos poètics i teatrals, alguns inèdits, presentat a Barcelona). Tradueix al català *Les tres germanes* d'A. P. Txèkhov.

1973 Reuneix en un volum tres adaptacions al català i en vers de Molière: *El banyut imaginari, El misantrop* i *El Tartuf*.

1975 *Obra poètica* (primer volum de les seves obres completes).

1977 *Quatre mil mots* (poesia). *Teatre original* (segon volum de les obres completes amb les novetats de *El papà de Romeo i Julieta* (reelaboració de *Cataclisme* de 1935) i dues peces inèdites: *El 30 d'abril* i *El roig i el blau*. Li tornen el passaport que li havien pres en tornar de l'exili.

1979   Estrena a Barcelona al teatre de l'Institut del Teatre la seva traducció al català de *La Gavina* d'A. P. Txèkhov.

1980   Premi de la Ciutat de Barcelona. Homenatge popular al teatre Romea de Barcelona, convocat pel diari «El Periódico» i enregistrat en vídeo. A. Dalmases, *L'obra poètica de Pere Quart.*

1981   Homenatge públic a Sabadell amb motiu de la concessió de la medalla de la Ciutat a Joan Oliver: representació de *La fam* (teatre) i altres actes. *Poesia empírica* (poesia), premi de la Generalitat de Catalunya.

1982   Premi Josep M. de Sagarra a la millor traducció teatral amb una versió d'*Ubú, rei,* d'A. Jarry. El novembre abandona la direcció d'Aymà-Proa. Refusa la Creu de Sant Jordi de la Generalitat.

1983   Membre del Comitè Literari d'Edicions Proa, S. A., a la Fundació Enciclopèdia Catalana. Ara com ara viu a Barcelona amb la seva muller i a la vora de llur filla i tres nétes.

Sumari